Amélie

D1623083

L'infiniment peu

DOMINIQUE LOREAU

L'infiniment peu

Collection dirigée par Ahmed Djouder

L'infiniment peu

L'essentiel,
la pointe du diamant en toute chose
était souvent un je-ne-sais-quoi,
un presque-rien.

Vladimir Jankélévitch

Sommaire

Introduction

*Le plus grand trésor de l'homme
est de vivre de peu
tout en restant satisfait.
Car le peu ne manque jamais.*

Sénèque

Après être passé du mode « moins » à celui d'« assez », l'ascension du minimaliste se dirige inéluctablement vers l'« infiniment peu » : il aspire chaque jour à moins de contraintes (horaires, contrats, pressions sociales...), moins de pesanteurs matérielles (soucis du lendemain, du gîte et du couvert...), moins de fatras émotionnel (relations humaines, course aux plaisirs) et moins de prétention intellectuelle (importance de soi, certitudes, soif insatiable de « culture »...).

Sans, sans, sans... À force de bannir le superflu, il en vient à reconsidérer sa vie en termes d'utilité et d'impeccabilité plutôt qu'en accomplissements et possessions ; il peut alors commencer à tailler, avec une joie fébrile, dans un nécessaire pourtant déjà presque fantomatique. Il sait désormais que vivre à la fois terre à terre, sans sentimentalisme, sans intellectualisme et le nez dans les étoiles est un sentiment extraordinaire.

Le paradoxe de l'infiniment peu :

Rien de trop est un point dont on parle sans cesse
et qu'on n'observe point.

La Fontaine

Eh oui, le monde évolue ainsi : vivre de peu était autrefois une vertu, aujourd'hui c'est un rêve de riches. Une sorte de diamant, qui, poli toujours et encore, révèle au fur et à mesure sa pureté, son brillant et sa rareté. Une réduction menant à l'élégance, à l'intelligence, à une paix joyeuse et à un esprit de plus en plus alerte. Vivre avec très peu, libre, sans excès ni lourdeurs, de façon authentique, est l'un des rêves les plus réalisables. Et pourtant, combien y parviennent ?

Une nouvelle ère est née.

Avec ce qui arrive de nos jours
– Fukushima, la crise économique
mondiale –, nous avons deux choix : continuer
désespérément à consommer frénétiquement ou
faire le choix d'une vie frugale. Cette deuxième solu-
tion est en réalité la seule.

Setouchi Jakucho (Interview télévisée,
septembre 2011)

« Plus vite, mieux, plus grand » est aujourd'hui dépassé. La recherche de la simplification, l'appel à la frugalité devient LA tendance. Saturation d'informations pléthoriques, perpétuels dilemmes entre carrière et qualité de vie..., le renoncement à la consommation et à ses ravages s'érige enfin en vertu au pouvoir libérateur. Une fois nos besoins vitaux assurés (s'habiller, se nourrir et se loger), appliquer la philosophie de l'infiniment peu permet de faire face à n'importe quel changement ou revers de situation. Il est alors facile de se réjouir de ce « tout petit peu » dans lequel aucune déception n'est possible, toute étincelle de joie instinctive réanimée.

À propos de ce livre lilliputien...

*La meilleure définition du minimalisme
est probablement celle-ci :
ne jamais rien acquérir,
ne jamais rien utiliser,
ne jamais rien faire qui ne soit,
en même temps, de la plus haute utilité
et de la plus grande qualité.*

Marc Halévy, *Simplicité et minimalisme*

Détestant ce qui est gros, grand, lourd et encombrant, j'ai toujours rêvé de voir apparaître, en France, des livres de poche au format japonais : légers, se lisant d'une seule main et assez petits pour se glisser dans une poche ou le tiroir d'une table de chevet. Des livres dont le contenu serait proportionnel à la taille : bouturés comme les bonzaïs, concentrés, se lisant d'une traite (selon les statistiques japonaises, quatre-vingt-dix minutes) et apportant immédiatement un petit plus.

1 – PEU POSSÉDER

J'ai jeté ma coupe lorsque j'ai vu un enfant boire
à l'auge avec ses mains.

Diogène

La multiplicité mène à la confusion et aux soucis. La crainte de perdre les choses alourdit. De la rareté des choses dépend leur prix (même un vieux mug ébréché) ! Et quelle liberté, quelle sérénité ! On se sent tellement plus « soi » en ne possédant que très peu ! La vie gagne en humour, l'esprit s'exprime mieux, le cœur s'ouvre et le mental ne redoute plus le changement. Mais pour parvenir à ce peu magique, une condition s'impose : être intransigeant et précis sur l'inventaire de ses besoins.

CHOISIR, C'EST ÉLIMINER LES SECONDS CHOIX

Celui qui a le choix a aussi les tourments.

(Proverbe allemand)

19

Au temps de Sen no Rikyû, grand maître de thé, certains ne possédaient ni bols ni ustensiles pour préparer la cérémonie : ils se voulaient libres de tout attachement. S'ils n'avaient pas de thé, raconte-t-on, ils buvaient de l'eau. S'ils en avaient, ils empruntaient une théière et partageaient leur thé avec celui qui la leur avait prêtée. Plus les choix sont limités, plus l'esprit est libre. Éliminons-en un maximum en ne possédant qu'une seule chose de tout (imperméable, agenda, poêle...).

LES VÊTEMENTS : L'ART DE S'HABILLER DE PEU

L'élégance ne s'affiche pas, elle se porte.

Bottega Venega

S'habiller requiert en réalité assez peu : un haut et un bas assortis, quelques sous-vêtements, un manteau, un sac et des chaussures. Une douzaine de tenues de base assorties et complémentaires bien pensées, agrémentées de quelques « fantaisies » bon marché suffisent à une personne ne cherchant pas à parader. Plus que l'habillement, ce qui compte, c'est une silhouette entretenue et un esprit noble.

LE SAC : « OMNIA MEA MECUM PORTO »
(JE PORTE AVEC MOI TOUTES
MES RICHESSES)

Les hommes ont réussi à accumuler une énorme masse d'objets mais la joie dans le monde s'est amenuisée.

Dostoïevski, *Les Frères Karamazov*

Les femmes averties possèdent un seul sac à main et, au besoin, un sac d'appoint (plage, courses…). Elles le choisissent autant pour sa légèreté et son côté pratique que pour son esthétique afin de ne manquer de rien lorsqu'elles passent une journée entière à l'extérieur. Le sac d'une femme pèse, de nos jours, en moyenne six kilos. Il pourrait en peser la moitié s'il était rempli plus intelligemment : porte-monnaie, agenda, trousse de maquillage… des objets ultralégers et compacts.

UN OU DEUX BIJOUX SEULEMENT

C'est physique.
Si je vois une femme porter
de grandes boucles d'oreilles modernes
de forme géométrique,
j'ai du mal à l'approcher.

Yohji Yamamoto, *My Dear Bomb*

Rares sont les personnes se contentant d'un ou deux bijoux seulement. Elles ne réalisent pas que, si ceux-là sont beaux et classiques, il est inutile d'en changer ; que, trop de « quincaillerie » fait ressembler à un sapin de Noël. Que de veiller constamment à ne pas les perdre ou à se les faire dérober revient à perdre sa liberté.

UN VANITY POUR SES EFFETS PERSONNELS

*La perfection de l'homme réside
en ce qu'il est,
non en ce qu'il a.*

Oscar Wilde, *Pensées*

Quatre ou cinq fards, une huile multi-usages (visage, corps, cheveux) durent au moins six mois. Deux huiles essentielles (lavande pour la peau, eucalyptus pour les bronches) et un peu d'aspirine remédient à la plupart des petits maux. Le parfum est à sa place et protégé de la lumière. Quoi de plus pratique et féminin qu'un vanity pour se maquiller là d'où vient la lumière, se faire les ongles devant la télé ou décider, en cinq minutes, de passer la nuit au-dehors ?

LA BATTERIE DE CUISINE

*Nous sommes plus aveugles
de tout ce que nous avons
que tout ce que nous n'avons pas.*

André Lorde

Imaginez ce coin cuisine : évier, petit plan de travail (frigo dessous), deux ronds de gaz. Au mur, poêle en fonte (allant au four), casserole et leurs couvercles. Une planche à découper. Une étagère en guise d'égouttoir. Une seconde, plus haut, pour un faitout, un bol et son égouttoir, un minirobot. Dans un pot, couteau, spatule bombée (servant aussi au service), râpe, ciseaux et ouvre-bouteilles/boîtes. Plus les cuisines sont sophistiquées, moins les femmes, semble-t-il, s'y affairent.

LA VAISSELLE :
CHACUN SON BOL, SON ASSIETTE, SON COUVERT

*Vis sans te soucier de choses
qui n'ont pas plus de valeur
que les débris d'une cruche cassée.*

Sankarâchârya

Les choses de taille moyenne sont les plus utilisées : cuillère unique pour la soupe et le dessert, assiette à dessert parfaite pour les repas légers, les en-cas, le petit déjeuner... Pour chaque habitant d'un même toit, un bol, une assiette, un couvert, un verre et une tasse. Pour le service un grand plat, et un saladier ; pour les invités un service classique d'autrefois. Pourquoi s'encombrer de plus ? Des mets joliment présentés, sains, sont tellement plus importants que leur contenant !

LES APPAREILS ÉLECTRIQUES

*La civilisation est une multiplication
sans bornes de nécessités inutiles.*

Mark Twain

Réfrigérateur, machine à laver le linge, aspirateur-balai, sèche-cheveux, fer à repasser, radio et téléphone permettent de vivre avec son temps sans s'encombrer. Mais un réveil manuel, une corde à linge sont autant en moins de nuisances sonores, dépenses énergétiques et complications. Reconnaissons enfin qu'une télévision ou un ordinateur ont cela de merveilleux qu'ils permettent de vivre avec infiniment peu sans jamais s'ennuyer.

MEUBLES ET LINGE DE MAISON

*Combien fécond le plus petit domaine,
quand on sait bien le cultiver.*

Goethe

Un canapé-lit, une table avec deux petits fauteuils de bureau pivotants... ce n'est pas la quantité qui compte mais le confort, la qualité et l'ergonomie d'un meuble. Pour le linge de maison... deux sets par habitant suffisent. Si vous recevez peu, un matelas pneumatique et un sac de couchage à peine plus volumineux qu'un rouleau de Sopalin, ou bien quelques nuits à l'hôtel offertes à vos visiteurs valent mieux que des pièces rarement utilisées et un logis plus spacieux que nécessaire.

LE VIEUX SCULPTEUR DE KYOTO

Toutes les choses qu'un homme possède
le tiennent bien plus qu'il ne les tient.
Sigrid Undset

La fille d'un ancien sculpteur aisé de Kyoto me raconte comment vivait son père : il ne possédait pas le moindre objet superflu. Lorsque sa fille voulut lui offrir un fauteuil pour adoucir son grand âge, il s'y opposa avec véhémence. Comme ceux de son temps, il voyait dans les possessions des ennemis par lesquels il ne voulait pas se laisser... posséder.

LE BALUCHON PASTÈQUE

Rien ne m'attache plus à ce monde, seule
m'affecte la beauté fugitive des saisons du ciel.
Urabe Kenko, *Heures oisives*

Une fois affranchis, nous réalisons que nos biens matériels ne nous apportaient rien. Un bonze me rapporte l'histoire de cette vieille dame qui, vers la fin de sa vie, s'était allégée au point de réduire ses possessions à la taille d'un baluchon à peine plus gros qu'une pastèque. C'était là, disait-elle, tout ce dont elle avait besoin. Ses dernières économies passaient dans son unique mais grand plaisir : un petit jardin très fleuri.

LE JARDIN LE PLUS PETIT DU MONDE

Le jardin nain, plus il est petit, plus vaste est la partie du monde qu'il embrasse... Ainsi le lettré, de sa modeste demeure, le poète devant son écritoire, l'ermite dans sa caverne disposent à volonté de tout l'univers. Il n'est que se concentrer autant qu'il le faut pour disparaître dans le jardin miniature... En rapetissant le paysage, on accède à une puissance magique croissante. C'est pourquoi il y a tout lieu de croire que les sages les plus éminents possèdent des jardins si petits que personne ne peut les soupçonner. Si petits qu'ils tiennent sur un ongle, si petits qu'on peut les enfermer dans un médaillon. Parfois le sage sort un médaillon de son gousset. Il en soulève le couvercle. Un infime jardin apparaît où des banians et des baobabs entourent des lacs immenses réunis par des ponts arqués. Et le sage devenu soudain gros comme un grain de pavot se promène avec ravissement dans cet espace vaste comme le ciel et la terre.

Michel Tournier, *Les Météores*

2 – PEU DE VOLUME
ET DE POIDS
POUR SES POSSESSIONS

La simplicité, c'est l'harmonie parfaite entre le
beau, l'utile et le juste.

Frank Lloyd Wright

Un objet est ergonomique lorsqu'il est en parfaite adéquation avec le corps humain, qu'il lui
procure confort et efficacité et qu'il offre au geste,
à la posture ou au mouvement fluidité et aisance.
Est ergonomique ce qui est léger (facile à soule-
ver, poser, sortir et ranger), peu volumineux (de
taille réduite, compact) et agréable à l'emploi
(qui tient bien en main, épouse les formes du
corps). Au contraire de choses comme les sentiments ou les sensations (que l'on ne peut peser,
mesurer), pourquoi, lorsqu'on en a la possibilité,
ne pas employer les chiffres, les poids, les
mesures et leur magnifique précision ? Nos sens
nous trahissent souvent. Lorsque vous achetez un
sac à main, par exemple, cherchez à connaître sa

taille, son poids et bien sûr sa matière. Sachez
que les cuirs les plus légers et résistants sont
l'autruche, la chèvre et le serpent. Et puis, quelle
importance que de protéger son dos en ne le char-
geant pas ! Meubles, objets… choisissez, pour
bien vivre, chacune de vos possessions petite,
compacte, pliable, peu encombrante et mobile.
Vous aurez alors acquis une passion toute japonaise : celle de la miniaturisation. Vous aurez
également gagné deux autres biens précieux : du
temps et un peu d'espace providentiel.

LE SAC LE PLUS INTELLIGENT DU MONDE : LE FUROSHIKI JAPONAIS

*Celui qui accumule les richesses
a beaucoup à perdre.*

Lao Tseu

Rien de plus pratique et de minimaliste que cet
ancêtre du sac, le furoshiki : un carré de
90 × 90 cm en tissu noué aux quatre coins pour
ranger ou, virtuellement, tout transporter
(couettes, boîtes de vaisselle, vêtements hors saison, bouteilles d'alcool, une tarte encore chaude,
dans son moule, chez ses amis…).

DES MATIÈRES ULTRALÉGÈRES
POUR DORMIR ET SE VÊTIR

Cachemire, Nylon, plume de duvet, microfibre, soie, gaze... Des draps fins (et donc légers) sont plus faciles à étendre et plier que, par exemple, du lin, certes agréable mais si pénible d'entretien ! Dans votre sac à main, un foulard de crêpe de Chine (plié, il n'est pas plus volumineux qu'un jeu de cartes). Pour le bain, des serviettes en gaze, très absorbantes et séchant rapidement malgré leur taille. Pour l'hiver deux ou trois cachemires superposables.

DES USTENSILES DE CUISINE
DIGNES D'UN SERVICE DE POUPÉE

Souvenez-vous toujours que très peu est nécessaire pour mener une vie heureuse.

Marc Aurèle, *Pensées pour moi-même*

Une petite poêle de 16 cm, un égouttoir pas plus gros qu'un demi-melon... De tels objets, maniés plusieurs fois lors de la préparation d'un repas, sont tellement plus plaisants à l'emploi que les tailles habituelles ! Ils ne prennent de place ni sur le plan de travail, ni sur l'égouttoir, ni dans les placards et redonnent au fait de cuisiner l'un des grands plaisirs de l'enfance : jouer à la dînette.

L'ART DE VOYAGER « POIDS PLUME » : 0 % DE STRESS

> *Mes livres doivent... nourrir les heures...*
> *être robustes et souples*
> *pour être lus d'une seule main.*
> Théodore Monod, *Le Désert des déserts*

Crèmes, parfums... pensez aux échantillons. Shampoing, savon... achetez-les sur place. Tee-shirts, pantalons, robes... un ou deux de chaque suffit. Choisissez des matières légères et infroissables (microfibre, gabardine, jersey de soie...). Portez vos vêtements les plus lourds sur vous dans l'avion. Sur place, renoncez aux souvenirs : invitez plutôt, à votre retour, vos amis dans un restaurant servant la cuisine du pays visité ; vous leur conterez alors votre voyage.

JAMAIS SANS MES PROTÈGE-BAS

Au Japon, on se déchausse toujours et chez autrui il est inconvenant de marcher pieds nus. Même si vous ne vivez pas au Japon, il est pratique et astucieux de toujours avoir, dans votre sac, une paire de protège-bas (qui feront aussi office de chaussons dans l'avion, le train, à l'hôtel...).

LE PETIT SAC DE NUIT :
PEU MAIS LE NÉCESSAIRE

Pour une nuit au-dehors, ayez toujours prêt un « petit sac de nuit » comprenant : pyjama de voyage (les plus compacts, confortables, infroissables, élégants sont en jersey de soie), brosse à dents, slip, réveil extra-plat, quelques échantillons de parfumerie et deux miniflacons en plastique pour le shampoing et un savon liquide.

ÉPONGES, SAVONS ET PETITS POTS
EN VERRE DE RÉCUP
D'UNE JAPONAISE DE L'ANCIENNE GÉNÉRATION

Chiyo, une vieille amie, aime ce qui est petit, léger et pratique. Elle coupe ses éponges et ses savons en deux : « Plus pratique pour faire la vaisselle, nécessite moins de produit à vaisselle, s'essore facilement », « Ils fondent moins et tiennent mieux en main ». Elle garde les petits pots de verre pour un fruit trop mûr cuit en compote, un vinaigre parfumé (fines herbes, pelures de pomme macérées dans un vinaigre ordinaire), les restes du dîner qu'elle mettra dans son bento le lendemain...

LA FLÛTE À CHAMPAGNE
ET SON DIAMÈTRE MAGIQUE

Autrefois les Japonais vivaient dans l'insouciance : ils dépensaient chaque soir l'argent gagné la journée et possédaient très peu. Tout ce qu'ils fabriquaient était pensé en termes de légèreté. Leurs flacons à saké, par exemple, avaient la taille et la forme oblongue de flûtes à champagne sans pied, forme donnant au geste de l'élégance sans fatiguer le poignet. Récemment les designers de boissons en canettes, shampoings... ont repris ces formes : leurs chiffres d'affaires ont triplé.

EMPILABLE, ENCASTRABLE, COMPACTABLE... : UNE PASSION

Tables gigognes, tasses à café encastrables, sièges à levier, peintures sur rouleau (pour changer son décor régulièrement), futons (rangés dans un placard la journée), tables à rallonge... Il est possible d'avoir plus d'espace avec de tels meubles dans 30 m^2 que 50 ! J'aime particulièrement les petits fauteuils de bureau design, avec accoudoirs, roulettes, base pivotante, et dossier flexible pour les tables. Fini le supplice de devoir resté assis droit et coincé pour des repas interminables.

DES TISSUS PLIÉS POUR ADHÉRER PARFAITEMENT À LA PAUME DE LA MAIN

Si vous tenez aux conventions, pourquoi ne pas utiliser, en guise de serviettes de table, les petites serviettes en coton réservées autrefois au « thé » ? Au Japon, chiffons, torchons, mouchoirs... mesurent en général 30 × 30 cm. Pliés en quatre, puis en trois, ils offrent une malléabilité et une efficacité incomparables, adhérant parfaitement à la paume de la main mais offrant, en plus, dépliés et repliés, plusieurs côtés propres.

PAPIERS, CARNETS ET MÉMOS : QUATRE TAILLES STANDARDS FONCTIONNELLES

Les pense-bêtes sont les porte-clés de la mémoire.

Pierre Dac

De la taille d'un imprimé, généralement le « A4 » (29,5 × 21 cm), devrait dépendre celle d'un sac de travail. Le « B5 » (moitié du « A4 ») est parfait pour les carnets de notes (peu encombrant sur une table, ses genoux...). La taille dite « passeport » est idéale pour glisser agendas ou portefeuilles dans une poche. La dernière, enfin, la « carte de crédit » (porte-monnaie, poudrier...) est discrète et peut se transformer, avec une feuille pliée (ou découpée et agrafée) en huit, en un adorable pense-bête.

LES CINQ OUTILS ET AMIS DU MINIMALISTE

Un minuteur (pour s'habituer à exécuter les tâches rapidement ou, au contraire, constater qu'elles prennent effectivement peu de temps), un mètre (pour la précision dans le rangement, certains achats...), une petite balance (et ainsi réaliser que son porte-monnaie pèse à lui seul 500 g), un pèse-personne (l'ami le plus sûr et le plus honnête de sa ligne), et enfin un podomètre (pour s'assurer qu'il a fait au-moins cinq mille pas dans sa journée).

3 – PEU MAIS BIEN DÉPENSER POUR ÉPARGNER

Si, au lieu de gagner
beaucoup d'argent pour vivre,
nous tâchions de vivre avec peu d'argent ?

Jules Renard, *Journal*

Appliquer les principes de l'infiniment peu, c'est aussi accepter et même apprécier le fait de dépenser avec intelligence et parcimonie. La crise économique que nous traversons est difficile. Elle devrait plus que jamais nous inciter à écouter ce bon vieux Roosevelt : « Un sou est un sou. » S'il est vrai que l'argent est une valeur subjective (certains en gagnent beaucoup mais vivent comme des esclaves, d'autres ne touchent que le salaire minimum vital et se considèrent privilégiés), cela n'empêche pas de rappeler que nous ne devrions dépenser que pour ce qui en vaut la peine. Si nous en avons plus que le nécessaire, tant mieux. Sinon, efforçons-nous de ne le dépenser que pour ce qui nourrit le corps et l'esprit et, pour le reste, pratiquer le troc, la frugalité et le « tout faire soi-même » (y compris cultiver des poireaux au lieu de rosiers dans sa cour). Il existe tant d'autres choses que les biens de consommation ! Les personnes modestes, les mystiques ont toujours dit combien leur pauvreté les faisait se sentir riches : ils avaient déjà à l'intérieur d'eux-mêmes tout ce qui les comblait.

VIVRE EN DESSOUS DE SES MOYENS

La publicité, c'est la science de stopper l'intelligence humaine pour lui soutirer de l'argent.

Stephen Leacock, *Garden of Folly*

Les vrais nécessiteux ne demandent rien à personne. Ce sont ceux qui se plaignent qui s'enivrent dans les bars, achètent à crédit d'énormes écrans plasma et bondent les charters destination « Hôtel piscine avec bar ». Mais la qualité pour le nécessaire coûte moins cher que ces loisirs vulgaires. Avant de consommer, demandez-vous toujours : que m'apporte cette dépense ? Est-elle de qualité ? Est-elle utile ?

ACHETER DE LA QUALITÉ
FAIT ÉVITER LE GASPILLAGE

Mes goûts sont simples :
je me contente de ce qu'il y a de meilleur.

Oscar Wilde

Une dame de Kyoto me dit qu'en n'achetant que d'excellents légumes, du bon poisson, un thé de qualité, une personne s'arrange alors pour en tirer parti le plus possible et sans aucun gaspillage : peu d'épluchures, de déchets, de restes qui s'abîment... Ce qui est bon se mange sans attendre et contente les papilles, même en petites quantités.

LORSQUE NOUS ACHETONS,
C'EST UNE PART DE NOUS-MÊMES
QUE NOUS ACQUÉRONS

N'estime l'argent ni plus ni moins qu'il ne vaut :
c'est un bon serviteur et un mauvais maître.

Alexandre Dumas fils

Un Japonais tient quatre budgets respectivement distincts : le durable (mobilier, vêtements...), le consommable (alimentation, électricité...), l'indispensable (éducation, soins...) et les loisirs. Une geisha use ses torchons jusqu'à la corde mais ne lésine pas sur le prix d'un kimono ou celui de cours de chant auprès d'un maître connu : la valeur de ses dépenses doit lui apporte plus que leur prix. Même pour un timbre-poste soyez vigilant : peut-il être évité, ajourné ? Sera-t-il rentable ? Rentabilisé ?

PETITE CAGNOTTE DE PRÉVOYANCE ET MINI-ACTES DE PRÉVENTION

La richesse de chacun
se mesure à l'aune de ce qu'il sait laisser de côté.

H.D. Thoreau

Les Japonaises savent qu'il est plus difficile de garder l'argent que de le gagner. Elles se constituent de petites économies secrètes pour faire face, ne serait-ce qu'un minimum, aux aléas de la vie (maladie, enfants en difficulté, divorce...). Elles traitent l'argent comme une force étrangère et s'en méfient. Elles savent aussi que le meilleur moyen de faire des économies, c'est de veiller sur sa santé. Le coût de sa perte est tellement plus élevé que l'argent économisé !

LES AVANTAGES DE PLANIFIER SON BUDGET

L'argent, c'est comme le temps :
n'en perdez pas, vous en aurez toujours assez.

Duc de Lévis

Bien des Occidentaux déclarent ne pas vouloir avoir à compter. Mais ils refusent de prendre le taxi alors que leur valise pèse 20 kilos. Ils sont plus esclaves de leur argent que ceux qui planifient un budget, y compris pour les transports et les loisirs, et qui s'accordent alors de petits extras sans excès mais sans culpabilité. La frugalité n'exclut pas le luxe. Elle apprend seulement à le planifier !

PEU DE CARTES DE CRÉDIT, ENCORE MOINS DE CARTES DE RÉDUCTIONS ET JAMAIS DE CARTES DE FIDÉLITÉ

Si tu n'as pas d'argent, n'en dépense pas.

Devise de nos grands-parents

N'avoir qu'une carte de crédit (réservations de voyage, péages d'autoroute), utiliser avec restriction les chèques (ils servent à garder des traces), refuser les cartes de fidélité distendant le porte-monnaie (désirez-vous vraiment cette cafetière offerte pour un an d'achats ?) facilite tellement la vie ! Qui dit argent, dit liquidités, légèreté et liberté. Le seul emprunt permis devrait être celui fait pour acquérir son propre toit.

LES VRAIS RICHES VOYAGENT EN CLASSE « ÉCONOMIE »

Vivez comme un pauvre, et pensez comme un riche.

Andy Warhol

Les vrais riches, ceux qui connaissent la valeur de l'argent, ne s'abaissent pas à l'exhiber. Ils préfèrent voyager en classe économie et offrir, à l'occasion, un vin rare à leurs amis. Au moins cela restera dans les mémoires de nombreuses années. Plus que d'acquérir les choses, l'argent devrait servir à faire des expériences, à étudier, à voyager...

4 – PEU CONSOMMER

Le saint se loge comme la caille :
il se nourrit comme le poussin ;
il va sans laisser de trace comme l'oiseau.

Tchouang-Tseu (célèbre taoïste)

Du lever au coucher, chaque jour de notre vie, nous CON-SOM-MONS : électricité, eau, produits de toilette, de maquillage, de ménage, nourriture, médicaments... Mille petits gestes nous sont tellement familiers que nous n'y prêtons plus attention. Et pourtant, qu'il serait facile, en les examinant un à un, de moins gaspiller, s'intoxiquer (produits industriels...), s'encombrer... L'écologie est un faux problème : si nous consommions moins, les questions du recyclage, des produits non « bio » (tout devrait l'être, naturellement !!!), de l'économie d'énergie ne se poseraient pas. Autrefois on ne parlait pas d'écologie : le gaspillage était considéré comme un péché, l'appât du gain trop « facile »

47

méprisable. Aujourd'hui, évoquer le gaspillage en termes de « morale » est bien plus tabou que d'étaler sa vie privée sur Internet ou ne pas réagir à des pubs nous bombardant de femmes à moitié nues et aux poses indécemment lascives (exploitant le corps de la femme et son intimité à des fins mercantiles).

TROIS GOUTTES DE PRODUIT VAISSELLE SUR L'ÉPONGE

Vivez chaque jour aussi méticuleusement que possible.

Proverbe japonais

Pourquoi laver avec du produit ce qui n'est pas gras (verres, casserole pour faire chauffer de l'eau...) ? Pour le reste, une petite cuvette d'eau mousseuse est le B.A.-BA du bon sens : y laver la vaisselle encrassée et, au besoin, y faire tremper un plat qui a « attrapé ». Le temps et l'eau font aussi bien le travail que ces lave-vaisselle qu'il faut remplir, vider, entretenir (entartrage, fuites, pannes...), payer (coût en électricité et produits) et entreposer (perte d'espace).

QUELQUES HUILES ESSENTIELLES : LE SUMMUM DU MINIMALISME

Qui vit content de rien possède toute chose.

Boileau, *Épitres*

Quelques gouttes dans l'eau du bain, la cire fondue d'une bougie, en spray dilué pour les toilettes, la lessive... aident à éliminer 90 % des produits ménagers et parfums d'ambiance choisis, justement, pour leurs parfums artificiels, et très nocifs pour la santé. Côté médecine, *idem* : la lavande soulage les infections cutanées (aphtes, brûlures...), l'eucalyptus les bronches. Lisez *L'Aromathérapie* de Jean Valnet : vous éliminerez 80 % du contenu de votre boîte à pharmacie.

UN TUBE DE DENTIFRICE ET UN SAVON DE MARSEILLE POUR SIX MOIS

Celui qui ne fait pas attention aux petites choses, n'accomplira jamais rien de grand.

Ninomiya Sontoku, *Evening Talks*

La pub nous vante des brosses à dents bardées de dentifrice. Celui-ci n'a pourtant pour réel effet que de rafraîchir le goût. Pour cela, une lentille suffit (les caries sont dues au sucre qui acidifie le sang et par extension la salive). L'important est de brosser chaque dent puis d'utiliser un fil dentaire pour déloger ce qui est coincé dans les interstices. Quant au savon à tout faire (toilette, sol, linge...) on achetait, autrefois, à Noël, son cube pour l'année. En quoi diffère-t-il de nos savons d'aujourd'hui ?

MES TROIS PRODUITS DE MÉNAGE

Fais briller le miroir, encore et encore.
Ton visage embellira.

Proverbe japonais

Très peu suffit pour entretenir un intérieur : un détergent puissant (sols, sanitaires, moisissures, le blanchissage du linge...), un produit multi-usages non polluant en spray (le vinaigre blanc qui nettoie plan de travail, vitres, réfrigérateur, miroirs, robinetterie) et une lingette en micro-fibres. En réalité, seule l'eau suffit : les taches nettoyées immédiatement n'ont ainsi pas le temps de durcir ni la poussière de se transformer en crasse (résultant du mélange avec l'air ambiant).

UN RÉFRIGÉRATEUR DE PETITE TAILLE

Le trop de quelque chose est un manque
d'autre chose.

Proverbe arabe

Seuls les produits laitiers, la viande, la charcuterie sont, chez les petits commerçants, réfrigérés. Et chez vous ? Probablement plus (œufs, mayonnaise, confiture, eau minérale, fruits, légumes...). Que de gaspillage énergétique et perte d'espace pour des réfrigérateurs plus hauts que nous ! Trois carottes se conservent dans du papier journal et un sac en plastique (sinon elles se dessèchent), les restes partent pour la plupart à la poubelle. Mieux vaut un petit congélateur, utile pour les familles nombreuses ou ceux vivant sans commerces à proximité.

L'AMOUR DES PETITS COMMERCES

Quel avantage résultera-t-il
si je ne le satisfais pas ?
Épicure, *Maximes*

Les « hyper » marchés incitent à « hyper » consommer. On achète toujours avec plus de parcimonie dans un petit magasin. Hôtels, restaurants, commerces de quartier... pourquoi engraisser les multinationales qui font de honteux profits avec notre argent sur lequel ils spéculent en Bourse ? Les petits commerçants, eux, vivent directement du patronage de leurs clients. Recourir uniquement à leurs services serait un excellent moyen de saboter l'économie actuelle.

LES SERVICES EN TOUT GENRE

*L'argent qu'on possède est l'instrument
de la liberté, celui qu'on pourchasse celui
de la servitude.*

Jean-Jacques Rousseau, *Les Confessions*

Le pressing ? Il existe tant de vêtements que l'on peut entretenir soi-même ! Gandhi, lorsqu'il décida de vivre de façon autonome, raconte qu'il renonça aux services du teinturier et du coiffeur : on se couperait désormais les cheveux en famille. La seule exception aux services à domicile pourrait être celle des services de livraison (inclus, de toute façon, dans les prix affichés) ou des aides à domicile pour les personnes âgées ou handicapées. Le reste n'est que paresse ou manque de noblesse.

LES 20, 30 PRODUITS ALIMENTAIRES BASIQUES DE NOTRE QUOTIDIEN

*En consommant des aliments vantés par la pub,
on consomme tout simplement... de la pub.*

Marie-Paule Dousset

Nous consommons, d'après les spécialistes, et ce de façon récurrente, toujours les mêmes 20, 30 produits alimentaires. Pour l'un, c'est les pommes de terre, pour l'autre, le riz... Prendre conscience de cette réalité aide à ne plus acheter, sous prétexte de « changer un peu », trop de produits nouveaux qui finissent souvent à la poubelle. Mieux vaut se pencher sur la qualité de ses produits habituels (origine, composition...) et gagner ainsi en simplicité.

PASSER MAÎTRE EN L'ART DU KUFU
(OU COMMENT RÉFLÉCHIR
AVANT DE CONSOMMER)

Fais ce que tu peux, avec ce que tu as, là où tu es.
Theodore Roosevelt

Le kufu, terme à consonance positive et éthique souvent utilisé en japonais, signifie faire avec ce que l'on a sans chercher à acquérir, ce qui revient à trouver une solution aux besoins grâce à l'ingéniosité. C'est, par exemple, utiliser une cuvette dans son évier pour poser une planche à découper, se rafraîchir la nuque, les jours de canicule, avec une bouteille d'eau congelée ou parfumer ses placards avec un sachet séché de thé usagé imprégné de gouttes de lavande.

5 – PEU MANGER ET LES MINI-EXERCICES

Je ne cuisine jamais
ou n'achète jamais quelque chose
qui dépasse ce qui est nécessaire.
Toinette Lippe, *Nothing Left Over*

S'il est un sujet incontournable dans la quête de l'infiniment peu, c'est bien celui de la nourriture. Les connaissances sur la diététique affluent de toutes parts mais nous continuons de trop ou mal manger. C'est donc, à l'évidence, moins du contenu de nos assiettes qu'il faut se soucier que de notre rapport à la nourriture : l'attention que nous lui portons, le plaisir et les bienfaits accrus qu'elle nous apporterait si nous savions la prendre en moindres quantités. Allégez vos repas et vous allongerez votre vie, dit le proverbe. Apprécier et savourer chaque bouchée de repas sobres et raffinés est le chemin le plus naturel et le plus rapide vers les retrouvailles avec un corps heureux, un esprit vif et la joie de la

57

minceur. Et puis, qui dit santé dit aussi sommeil et exercice. Si vous dormez mal ou bougez peu vous ne pourrez obtenir le maximum de votre forme, quels que soit votre âge ou votre situation.

LA VIE SOBRE DU CÉLÈBRE VÉNITIEN LUIGI CORNARO

Depuis que je suis sobre, j'ai toujours été sain.
Luigi Cornaro, *La Sobriété*

Diagnostiqué perdu par ses médecins à l'âge de 35 ans, Luigi retrouva la santé en un an grâce à cette diète quotidienne stricte : 428 ml de « vin léger » et 342 g d'aliments. Il vécut cent deux ans et composa, à quatre vingt-dix ans, le premier de quatre traités sur la santé, insistant sur trois choses : peu de nourriture, éviter les situations engendrant le stress et la fréquentation des fêtards. De cela, écrit-il, dépendent notre bonheur et notre santé : trop manger et trop boire mène à la mélancolie et à la négativité.

LE BOL DE PRINCESSE

*Deux tatamis, se faire cuire son riz blanc sur un petit réchaud avec un œuf...
Une petite vague de bonheur monta en elle*

à l'idée qu'on pouvait vivre en se contentant
de si peu...

Fumiko Hayashi, *Nuages flottants*

La vaisselle japonaise semble sortir tout droit d'un service de dînette de poupée. Certains bols à riz, appelés « bols de princesse », sont particulièrement minuscules : 9 cm de diamètre et une contenance limitée (environ 80 g de riz ou autre féculent). Ils sont très prisés des femmes de Kyoto, fières de leur taille et soucieuses de la garder. Ne seraient-ils pas, eux aussi, un des secrets de la légendaire longévité dont jouit ce peuple ?

UNE « DEMOISELLE » POUR LE PETIT DÉJEUNER

Tout menu est une ordonnance.

Jean Rostand

Derrière minceur se cache « petit », « peu », « menu ». Certains appellent les tranches de pain fines coupées pour manger la confiture des « demoiselles ». Après avoir appris cette charmante expression j'ai boudé les autres tartines. Ce sont ces amusantes réductions en quantité qui ont, mine de rien, l'impact le plus important sur la santé. De petits repas composés d'aliments variés comblent l'appétit gustatif et rassasient tellement plus agréablement qu'un triste « steak et haricots vapeur » !

Il faut maigrir pour manger moins.

Dicton japonais

On dit « partager » un repas. Mais est-ce bien correct ? Chacun n'a ni le même appétit ni les mêmes préférences. Un plateau parfaitement « pensé » pour chacun apporte, même s'il ne contient que très peu, beaucoup : satisfaction visuelle, satiété d'avoir fait un « vrai repas »… Que de différence avec une assiette de spaghettis sur le coin de la table de cuisine ! Le plateau, c'est un repas, une assiettée de nourriture, un en-cas. Même si le contenu est identique en quantités et en variétés.

MASTIQUER TRENTE FOIS

Nous prenons de trop grosses bouchées ; notre façon de manger est détraquée.

(Chercheur japonais sur l'obésité)

Le meilleur coupe-faim, a découvert un médecin japonais, est l'histamine, molécule du cerveau. Or celle-ci augmente grâce à la mastication. Il réussit à faire perdre à ses patients jusqu'à 40 kilos en six mois grâce à cette technique : ils doivent s'entraîner à mettre dans la bouche des quantités qui se liquéfient en précisément trente mastications. Au bout de vingt minutes, avec très peu de nourriture, le patient n'a tout simplement plus faim.

SE DONNER VINGT MINUTES MINIMUM POUR MANGER UNE QUANTITÉ MINIME

Mangez sans prendre votre temps et vous perdrez votre temps. Chaque repas peut être une fête, un moment de simple bonheur. Faites cet exercice fort agréable de tester le nombre de minutes pendant lesquelles vous pourrez faire durer un carré de chocolat en bouche. Vous pouvez répéter l'exercice avec un verre d'alcool : le siroter pendant une heure. Ces exercices vous aideront à vous laisser moins aller lorsque vous êtes en joyeuse compagnie.

TROIS MINUTES ET TROIS METS POUR UN REPAS DÉLICIEUX ET SAIN

Le véritable goût n'est pas la langue mais l'esprit.

Trop de nourriture dans le réfrigérateur ne stimule pas l'imagination (cela oblige à choisir, au contraire) alors qu'une omelette aux champignons, une endive en vinaigrette et une tranche de pain complet sont un exemple de menus simplissimes, délicieux, sains et rapides (trois minutes de préparation). Quelques basiques chez soi (thon en boîte, champignons séchés, pâtes, riz, lentilles, quelques légumes et fruits frais) permettent de se nourrir à peu de frais et en peu de temps.

POUR MANGER MOINS SALÉ, MOINS SUCRÉ ET MOINS GRAS, IL FAUT CUISINER

Prends moins de sel et plus de vinaigre.

Dicton japonais

Cuisiner chez soi quelques aliments naturels permet de manger moins salé, moins sucré et moins gras qu'à l'extérieur. Les produits industriels ont toujours un goût artificiel trop relevé. Chez soi, on peut agréablement assaisonner ses plats avec quelques échalotes, un citron, une huile de qualité et un soupçon d'ail. Ces condiments suffisent, même sans ces poisons que sont le sel, le sucre et les graisses animales, à révéler aux papilles la finesse d'un poisson ou le goût délicat d'une pomme de terre.

PAS DE LIVRES DE CUISINE ET PEU DE RECETTES

Je me suis toujours accommodé
de la nourriture la plus quotidienne...
l'ordinaire et le banal
m'apportaient d'immédiates satisfactions.

John Lane, *Les Pouvoirs du silence*

Plus que cent livres de cuisine, c'est l'imagination et l'amour qui donnent de la saveur aux mets. On peut très bien accommoder à son goût et à ses besoins nutritionnels (âge, constitution) les recettes de cuisine d'un seul mais bon livre basique

62

tout en glanant, çà et là, les secrets de « pro » :
une pointe de gentiane dans le rôti de porc, un
soupçon de miel et de la cannelle pour le tajine
aux pruneaux, une larme de pastis dans des lan-
goustines sautées à la poêle...

THÉ À L'ANGLAISE OU APÉRITIF DÎNATOIRE ?

Celui dont l'âme a été nourrie
n'a pas besoin de nourrir son corps.

Jésus de Nazareth

Rencontrez-vous entre amis de préférence pour
un thé ou un apéritif dînatoire (autrement dit un
dîner très léger) : ces alternatives aux repas
pesants (aussi bien sur l'estomac que pour la
difficulté à les préparer) sont parfaites : vin frais,
œufs mollets, toasts, salade de pousses vertes et
pour finir quelques châtaignes bouillies sucrées
au miel en dessert... Si c'est vous l'invité, annon-
cez sans appel que vous mangez peu le soir : les
autres s'y habitueront.

TROP DE CHOIX GÂCHENT LE PLAISIR

Pour l'apéritif, proposez trois choix à vos
invités (vous connaissez en général leurs goûts) :
champagne, whisky, jus de pamplemousse
pressé... Pour les amuse-gueules, *idem* : quelques
toasts faits maison seront bien plus appréciés
qu'une montagne de paquets de gâteaux apéritifs

industriels. Moins mais meilleur, telle est la règle.

LE PETIT PANIER À PROVISIONS

Que c'est merveilleux,
si nous choisissons le bon régime, de constater
quelle extraordinaire petite quantité nous suffit !

Gandhi, *Autobiographie*
ou Mes expériences de vérité

Pain ou riz complet en petites quantités, fruits et légumes de saison, quelques cuillerées de légumineuses... N'achetez que ce que vous aimez vraiment mais en quantités minimes. Votre panier, comme votre estomac, sera plus léger : tomates cerises, bouchons de chèvre, petites tranches de poisson frais, steak haché commandé au gramme... et la corvée des courses deviendra un plaisir.

L'AMI LE PLUS HONNÊTE SUR VOTRE LIGNE ?
VOTRE BON VIEUX JEAN SERRÉ

À l'intérieur de tout homme gros est enfermé un homme mince qui fait des signes désespérés pour qu'on le laisse sortir.

Cyril Connolly

Diététique signifie bien-être. Votre poids idéal est celui qui vous fait vous sentir légère et à l'aise dans votre jean préféré. De plus, toujours peser le même poids permet d'avoir une garde-robe non pas en S, M, L mais en une seule. Autrement dit, moins de vêtements aussi. Tout changement permanent doit se faire par petits pas. Fixez-vous des objectifs à court terme (500 g par semaine par exemple) et un an, par exemple : vous retrouverez alors votre poids idéal.

GRIGNOTAGES ET EN-CAS

Si ton corps ne te le demande, il ne faut pas accepter un grain de riz.

Proverbe catalan

Les grignotages, on le sait, engendrent surpoids, fatigue et parfois insomnies : un bonbon peut dérégler la digestion qui doit alors être reprogrammée. Une alimentation à heures régulières permet, elle, à l'esprit de ne plus culpabiliser. Le métabolisme n'est plus confus. Si de tels horaires vous sont impossibles matériellement, prévoyez, comme les Japonaises, une pochette brodée « En-cas » pour les petits creux (abricots secs en papillotes, biscuit protéiné, boulette de riz fourrée, galette de son au jambon...). Vous limiterez alors les sucreries.

LA POTION MAGIQUE DU VERMONT : UNE CUILLÈRE DE VINAIGRE AU MIEL

Un tiers de la nourriture que nous absorbons
sert à nous nourrir ;
les deux autres tiers servent à nourrir les médecins.

Proverbe égyptien,
trouvé sur un mur de pyramide

Cette cuillère à soupe de vinaigre de pomme dilué dans de l'eau (froide l'été, chaude l'hiver) et sucré au miel (alchimie miracle...), prise à jeun le matin fut, au siècle dernier, l'unique remède de prévention et de soins auquel les habitants du Vermont, région retirée et enneigée, avaient recours avant l'arrivée du médecin. Elle a, à elle seule, le pouvoir de dissoudre les toxines logées dans les articulations, assouplir le corps, prévenir les rhumes, renforcer les défenses naturelles et faire maigrir.

CINQ MINUTES DE SALUTATION AU SOLEIL OU À LA LUNE

La pratique de cinq minutes de yoga, tels ces deux enchaînements « Salutation au soleil » et « Salutation à la lune », connus et faciles à retenir, est un excellent cycle d'étirements faisant travailler toutes les parties du corps. Les enchaînements ont cela de pratique qu'ils offrent une sorte de miniprogramme aussi complet que simple dans son application. Inutile d'avoir à penser à quoi que ce soit. Ils sont aussi efficaces pour le débutant que pour le grand yogi.

LES PETITS SECRETS DE SANTÉ ET L'ESCALIER

Une suite de petites volontés fait un gros résultat.
Charles Baudelaire

Métro, immeuble, bureau..., prenez les escaliers aussi souvent que possible. Cela vous donnera la forme des aïeuls qui grimpaient leurs étages d'immeubles haussmanniens sans s'essouffler bien avant l'invention de l'ascenseur. Pour plus de zèle, montez sur la pointe des pieds : cet exercice tonifie le galbe des jambes, fait travailler le cœur et fortifie la voûte plantaire qui, avec l'âge, tend à s'affaisser, causant l'apparition de cette protubérance osseuse appelée oignon.

N'ÉCONOMISEZ PAS VOS PAS AU QUOTIDIEN

Le vrai est trop simple,
il faut y arriver toujours par le compliqué.
George Sand, *Correspondance à Armand Barbès*

Un papier à jeter à la poubelle ? Levez-vous et agissez. Profitez de ces fugaces occasions pour bouger. Ce sont les petits mouvements au quotidien qui maintiennent en forme, bien mieux que quelques séances hebdomadaires de gym dans un club de sport.

MINI-ABDOMINAUX NI VUS NI CONNUS

La pauvreté, c'est le maximum d'effort pour le minimum de résultat. La richesse, c'est le minimum d'effort pour le maximum de résultat.

Abraham Lincoln

Les kilos s'accumulent sur le ventre. Dans le métro, profitez de votre temps pour contracter six fois six secondes le ventre. Pensez « six » en inspirant, « six » en expirant.

CINQ KILOMÈTRES DE MARCHE QUOTIDIENNE

Rares sont les activités physiques meilleures que la marche. Celle-ci permet d'aérer l'esprit, de retrouver son équilibre et de faire de nouvelles découvertes. Un psychiatre japonais la prescrit à ses malades mentaux comme thérapie. C'est, selon lui, la plus efficace.

INSOMNIE ? VOS NERFS SONT PEUT-ÊTRE NOUÉS

Allongé sur le dos contractez dix fois les orteils. Étirez-les d'avant en arrière dix autres fois. Puis faites ensuite tracer au gros orteil dix cercles dans les deux sens. Ensuite décollez 10 secondes les mollets du matelas. Les poignets : faites-les tourner. Les doigts : contractez et décontractez-les dix fois puis massez-les. Enfin la tête : tournez-la doucement d'un côté sur l'oreiller puis de l'autre. Terminez par le « cafard agonisant » : bras et jambes en l'air, secouez bras et jambes dans l'air 50 fois.

DEUX LONGUES MINUTES DE VIDE MENTAL

Cet exercice, quoique court, est très reposant pour le cerveau qui, même pendant le sommeil, est en activité (il rêve). S'exercer chaque soir à ne penser à rien est extrêmement difficile au début, mais si vous persévérez, vous parviendrez, seconde par seconde, jour après jour, à « tenir » un peu plus. Vous arriverez, un jour, à rester deux minutes (sinon plus !) totalement délivré de toute pensée.

LA SIESTE : UN SOMMEIL COURT MAIS PROFOND

Mes siestes durent parfois près de deux heures,
sans préjudice aucun
pour le long sommeil de la nuit.
André Gide

Une sieste de dix minutes aide à mieux dormir la nuit. Ne vous affolez pas si vous ne dormez pas beaucoup la nuit : seul le fait de rester allongé repose le corps et rafraîchit l'esprit. Le plus important est de ne pas pester contre les insomnies : c'est cet énervement qui fatigue et empêche d'avoir la forme le lendemain. Se souvenir de cela pendant ses insomnies soulage énormément.

LE SECRET D'UN STEWARD POUR PRÉVENIR LE DÉCALAGE HORAIRE

Après un vol, sieste de deux heures avant de sortir jusqu'au soir (tourisme, restaurant...). S'efforcer ensuite de « tenir » jusqu'à la nuit, puis prendre un somnifère (tous les personnels navigants le font) et faire une « grosse nuit » de dix, douze heures s'il le faut.

UN MUR VIDE ? VITE, UNE PETITE ROUE

Le corps se raidit lorsqu'il ne bouge pas. Il a moins de force. Plaqué au mur, les jambes écartées à largeur des épaules, sans bouger le bassin, amusez-vous à faire la roue : faites glisser sur le mur vos bras en croix d'un côté puis de l'autre. Ces mouvements vous aideront également à recentrer votre corps sur son axe.

Tapis de yoga, musique pour des étirements, bain mousseux, masque facial et capillaire, eau pétillante citronnée puis séance de manucure devant une vidéo, avec, bien sûr, le téléphone coupé : ces quelques heures sont gratuites et reposantes dans l'intimité de votre domicile.

6 – LES RARES ET SEULS PRODUITS ET GESTES DE BEAUTÉ EFFICACES

On ne naît pas femme, on le devient.

Simone de Beauvoir

Ne négligez pas votre apparence physique. Un brin de futilité, ont découvert des chercheurs japonais, est bon pour la santé. Cela renforcerait même notre système immunitaire ! Se vernir les ongles, se maquiller, brosser son corps... tout cela change une femme : non seulement son aspect extérieur, sa façon de bouger mais aussi son attitude générale face à la vie. Son rapport aux autres se fait plus agréable, fluide. Elle ne redoute plus, non plus, leur regard.

PRENDRE SOIN DE SA BEAUTÉ C'EST AVOIR POUR PRINCIPE LE « PEU DE... »

Se coucher et se lever tôt, rend sage, riche et dispos.

Proverbe anglais

Toxines dans le sang, teint terne, cheveux fourchus, ongles trop longs, cuticules, poils, surpoids, peaux mortes, points noirs, comédons, cors, sourcils trop épais, callosités, kystes... La beauté, c'est d'abord éliminer. Le reste se résume à très peu : une bonne hydratation de la peau, une coupe de coiffure seyante, un peu de maquillage, un soupçon de parfum et... le sourire.

LE SHAMPOING : UNE NOISETTE

Lorsque vous lavez vos cheveux, inutile de les shampouiner sur toute leur longueur. L'eau mousseuse qui coule sur eux suffit. Veillez également à bien rincer le shampoing : un rinçage insuffisant bouche les pores du cuir chevelu et ternit les cheveux. Investissez dans un shampoing de qualité : tout soin complémentaire (conditionnement, masques capillaires...) sera alors superflu. Enfin le séchage : les cheveux craignent, comme nous, les températures trop élevées.

DEUX CUILLÈRES D'HUILE D'OLIVE POUR UN MERVEILLEUX MASQUE CAPILLAIRE

Enduisez votre chevelure (les longueurs uniquement) de deux cuillerées à soupe d'huile d'olive. Laissez agir quinze minutes sous une serviette mouillée chaude (la changer une fois). Shampouinez et rincez avec, en dernier, une cuillerée à soupe de vinaigre dilué à l'eau dans un bol. Les plus téméraires peuvent remplacer ce soin par trois cuillerées de mayonnaise : le résultat est le même et, contrairement à ce que vous craignez, les cheveux ne sentent absolument rien après.

UNE COIFFURE SANS VOLUME ? DEUX CUILLÈRES D'HUILE D'OLIVE

Massez-vous le cuir chevelu à sec avec deux cuillères à soupe d'huile d'olive. Laissez agir cinq minutes sous une serviette chaude et humide. Shampouinez en vous massant le crâne avec les paumes des deux mains croisées puis rincez. L'huile d'olive fait dissoudre le sébum et les résidus de shampoing. Pour plus de volume, appliquez trois rouleaux Velcro sur le dessus de la tête, pulvérisez un nuage de laque la tête en bas et crêpez quelques mèches.

UN SEUL PEIGNE POUR LA VIE

Un bon peigne en bois, huilé avant le démêlage des cheveux mouillés, est non seulement antistatique mais remplace toutes ces brosses inesthétiques et difficiles à nettoyer (il se nettoie avec une brosse à dents huilée). Les Japonaises d'autrefois, malgré leur abondante et longue chevelure, ne connaissaient que lui. Et puis n'oubliez pas ce secret de grand-mère : se peigner longuement sert à démêler les nœuds qui empêchent la sève de nourrir les cheveux jusqu'à leurs pointes.

DÉMAQUILLAGE : UNE MANDARINE DE MOUSSE

Évitez les produits waterproof excepté ceux qui partent à l'eau chaude. Le soir, un savon doux (à la glycérine, par exemple) nettoie et démaquille parfaitement si on le fait abondamment mousser avec quelques gouttes d'eau dans le creux de la main. Le matin, en principe, la peau n'a pas besoin de savon : sa meilleure complice est l'eau glacée qui lui apporte tonicité et fraîcheur.

HYDRATATION DU VISAGE : TROIS GOUTTES D'HUILE

Trois gouttes d'une bonne huile (jojoba, germes de blé, scalène...) préchauffées dans les paumes des mains (additionnées d'eau si la peau n'est pas sèche) remplacent à elles seules mille sortes de crèmes, lotions et autres produits industriels. Profitez de ce soin pour vous masser le contour des yeux et prévenir l'apparition des pattes-d'oie : trois tours en partant du coin de l'œil dans le sens des aiguilles d'une montre et trois dans le sens inverse. *Idem* pour le soin des lèvres.

LE CORPS : DEUX MINUTES DE BROSSAGE À SEC POUR UNE PEAU DOUCE ET LUSTRÉE

Ce soin permet de débarrasser la peau de ses cellules mortes et toxines, d'activer la circulation et de lui redonner un aspect lustré. Cicatrices et squames s'effaceront progressivement. Procédez dans cet ordre : orteils, pieds, talons, chevilles, mollets, genoux, cuisses, fessiers, estomac, poitrine, arrière des bras, épaules, doigts, mains puis le cou. Après le bain nourrissez votre peau d'un peu d'huile. Cette méthode prévient rhumes, allergies et renforce le système immunitaire.

MAQUILLAGE EXPRESS : TRENTE SECONDES, CINQ PRODUITS

Un nuage de poudre, un trait de crayon à sourcils, un d'eye-liner, une touche de mascara et un peu de couleur sur les lèvres, voilà tout ce qu'il faut pour être soignée sans avoir à passer des heures devant le miroir. Un petit rituel de maquillage rend la vie si facile ! Surtout lorsqu'on a acquis un enchaînement de gestes précis dans un ordre parfait.

QUARANTE SECONDES CHAQUE SOIR POUR DES ONGLES SOIGNÉS

Chaque soir, après le démaquillage, limez vos ongles quelques secondes puis nourrissez-les d'une goutte d'huile pour éviter l'apparition de cuticules, les protéger des méfaits de l'eau et les fortifier (c'est le contact de l'eau qui les rend secs et friables). Adieu alors les interminables séances de manucure.

COMBIEN DE TUBES DE ROUGE POSSÉDEZ-VOUS ?

Un seul tube à lèvres est tellement libérateur ! Et la « bonne » couleur si importante ! Prenez votre temps pour la trouver. Ce n'est pas une perte de temps. Faites des essais dans les magasins puis allez vérifier à la lumière du jour (la teinte change selon l'éclairage). Si vous aimez le gloss, inutile de le passer entièrement sur vos lèvres : un petit pois, au milieu, suffit.

DES MASQUES DE BEAUTÉ ZÉRO EURO

Vous les avez déjà : ils sont dans votre cuisine. Une cuillerée à café de miel le soir sur le visage purifie et adoucit la peau, l'intérieur d'une peau de papaye frottée sur le visage dissout les toxines... Collectionnez, comme pour les recettes de cuisine, celles des soins de beauté avec le citron, le sel, le concombre, le blanc d'œuf...

PARFUM : QUELQUES GOUTTES MAIS TOUJOURS LE MÊME

Une personne fidèle depuis des années à un parfum exhale non seulement un sentiment de sécurité mais de constance : si elle est fidèle à ses goûts, elle l'est aussi à ses amis. Vaporisez aussi vos draps fraîchement lavés de ce même parfum. Mais attention : discrétion et respect pour les autres obligent. Limitez-vous à deux gouttes ou deux pulvérisations.

7 – TEMPS ET ÉNERGIE : UNE PARFAITE ÉCONOMIE DE MOYENS

Hâte-toi de bien vivre et songe que chaque jour
est à lui seul une vie.

Sénèque, *Lettre à Lucilius*

S'organiser est un art : celui de gérer intelligemment son temps avec un minimum d'énergie. Le temps est notre principal capital : nous ne pouvons ni l'arrêter, ni l'économiser, ni l'acheter. Nous le gaspillons pourtant à travers tant d'habitudes inutiles, de conformisme ou d'ignorance alors qu'il y a très peu, en réalité, qu'il soit réellement utile de faire... Un peu qui pourrait encore être simplifié avec quelques techniques : organiser son quotidien, raffermir ses principes, faire suivre ses pensées d'actes, limiter ses projets, les définir avec clarté et, enfin, s'attaquer aux tâches ennuyeuses ou laborieuses en les morcelant. Le zen rappelle que, quelle que soit l'envergure de nos tâches ou de nos buts, c'est, plus que l'ardeur, la persévérance qui compte : agir à petites doses,

sans s'essouffler, avec une magnifique et parfaite
économie de moyens.

ÉVITER LES OUTILS DE TRAVAIL
TROP NOMBREUX OU TROP COMPLEXES

Que de temps perdu à en gagner !
Paul Morand

Non aux agendas lourds de dix tonnes ; oui à
un carnet de sac sur lequel noter choses à faire
(rayer élégamment, au fur et à mesure, ce qui n'a
plus raison d'être), rendez-vous, pensées, citations... Sachez aussi que vous n'êtes pas obligé de
vous tenir *mordicus* à tout ce que vous notez.
Votre agenda n'est là que pour vous rappeler des
options ; non pour vous les imposer. Il ne doit pas
régenter ou surcharger votre vie mais la faciliter.

PEU DE STRESS AVEC LA BOÎTE « PAPETERIE »

Le rêve est la vraie victoire sur le temps.
Jean-Claude Carrière, *Entretiens sur la fin
des temps*

Munissez-vous d'une boîte de taille A4 ou d'une
vraie boîte à lettres accrochée dans un coin discret de votre logis que vous nommerez « Papete-
rie ». Vous y glisserez tout papier entrant chez
vous via le facteur, votre sac à main ou les

enfants. Mais « traitez » sur-le-champ autant que possible : jetez la pub, découpez les pages, dans la presse écrite, de ce que vous avez envie de lire, puis, le temps venu, répondez aux courriers, réglez les factures, lisez les articles.

UN CLASSEUR DE NOTAIRE
POUR VOS DOCUMENTS

Trouvez une série de chemises de papier kraft étiquetées ou un beau classeur « de notaire » (Exacompta en fabrique de magnifiques) pour vos documents bancaires, fiscaux, médicaux, les achats avec bon de garantie et reçus agrafés et que vous aurez minutieusement étiquetés, rubrique par rubrique, même si vous n'avez qu'un seul document à y glisser.

UN CLASSEUR « INSTANCES »

Si vous êtes très pris, choisissez un classeur numéroté de 1 à 31 pour les jours du mois et classez-y tout ce qui a une échéance ou relève d'un projet daté (glissez dans le compartiment n° 28 les billets de train pour le 29, dans le n° 6 le rapport à remettre à votre parton au meeting du lendemain, dans le n° 30 la photo à envoyer à Cécile lorsque vous la verrez...). Vous serez alors sûr d'avoir sous la main le nécessaire au moment venu.

Sous la lettre V, glissez les informations concernant le voyage rêvé ou programmé, sous le S un article sur la santé. Mais attention : ne confondez pas ce dossier avec vos archives ; vous devrez le trier régulièrement. Pensez à scanner ou photographier les articles que vous voulez définitivement conserver.

Les e-mails : ne les laissez pas envahir votre vie

La plupart du temps on ne résout pas les difficultés ;
on les déplace, comme la poussière.

Aymont d'Alost

Commencez par éliminer ceux qui ne vous intéressent pas (corbeille ou spam). Répondez aux autres. Mais limitez-vous à cinq lignes : pas de mots superflus, des termes précis ! Classez alors ou supprimez. Faites en sorte de garder votre boîte mails vide : des mails affichés et restés en suspens nourrissent un sentiment de culpabilité. Faites aussi comprendre à vos amis que vous n'êtes pas obligés de correspondre si souvent. Ne diluez pas le plaisir de vous raconter lors des retrouvailles.

VIDER ET REFAIRE SON SAC QUOTIDIENNEMENT

Rien ne marque tant la vaste étendue d'un esprit que de pouvoir s'élever en même temps aux plus grandes choses et s'abaisser aux plus petites.

Charles Perrault, *Contes du temps passé*

Déversez le contenu de votre sac sur la table et débarrassez-vous de tout ce qui s'y est accumulé durant la journée (mouchoirs, mémos périmés, stylos de promotion…). Vous vous déplacerez alors avec un sac plus léger et y trouverez aisément ce que vous cherchez. Tout comme dans la maison, lorsque le désordre s'accumule, l'énergie stagne. Prendre soin de ses objets, c'est prendre soin de soi et gagner du temps. Cette tâche se réalise à peine en une minute.

REGROUPER SES TÂCHES PAR LOTS

Plus on fait de choses, plus on a de temps pour en faire. Moins on en fait, moins on en a : les oisifs n'ont jamais une minute à eux.

Maurice Sachs, *Derrière cinq barreaux*

Regrouper ses tâches par « lots » ou par « familles » est d'une logique évidente. Par exemple répondez à vos e-mails le matin puis passez vos coups de fil. Lorsque vous sortez, efforcez-vous de faire vos courses dans le même quartier et ce, en une seule fois (le samedi matin, par exemple).

APPRENDRE À REFUSER GENTIMENT
MAIS FERMEMENT

*Le temps perdu,
c'est le temps pendant lequel
on est à la merci des autres.*

Boris Vian

Si trop d'engagements s'ajoutent, un à un, à votre vie, c'est que vous les avez acceptés. Votre temps est limité et précieux. Apprenez à refuser les invitations. Excusez-vous poliment mais coupez court à toute négociation sans vous confondre en excuses. Dites simplement « J'aurais aimé pouvoir (venir, t'aider...) mais je n'ai pas le temps ». Il vaut mieux cela que d'avoir à annuler à la dernière minute. N'acceptez que ce qui est important à vos yeux, pas à ceux des autres.

LES RENDEZ-VOUS :
FERMETÉ DANS SES PRINCIPES

Le temps est la seule richesse dont on puisse être avare sans déshonneur.

Chauvot de Beauchêne

D'abord, prenez des rendez-vous avec vous-même : (pas de téléphone entre certaines heures – s'il y a urgence, on vous rappellera –, aucune invitation le dimanche...). Regroupez les rendez-vous personnels sur un ou deux jours de la semaine (dentiste, plombier...). Précisez à vos amis non seulement l'heure d'un rendez-vous mais celle de son terme (jusqu'à 18 heures par exemple). Refusez les rendez-vous fixés pour le jour même. N'en acceptez pas non plus dans un avenir trop lointain : cela vous priverait de votre temps libre.

LE TÉLÉPHONE :
ÉCOURTEZ LES CONVERSATIONS

*Couper le téléphone chez soi, de temps en temps,
est une jouissance comparable
à celle de la ballerine qui enlève ses chaussons
et son tutu.*

José Artur, *Les Pensées*

Les conversations téléphoniques sont parfois chronophages. Si c'est une personne bavarde qui vous appelle, dites-lui que vous avez quelque chose sur le feu, que vous attendez de la visite ou que vous étiez sur le point de sortir. Vous n'êtes pas non plus obligé d'avoir votre portable branché en permanence. N'habituez pas les autres à être constamment à leur disposition. Comment vivait-on, il y a vingt ans à peine, sans ces maudits appareils ?

UNE PETITE SIESTE
OU UNE PAUSE DE DIX MINUTES

De temps en temps se retirer de ce qu'on fait, et gagner quelque hauteur pour respirer et dominer.

Jules Renard, *Journal*

Si vous le pouvez, autorisez-vous une petite sieste, même à l'heure du déjeuner, la tête dans vos bras sur votre bureau. Dix minutes les yeux fermés, même sans dormir, redonne de l'énergie et rafraîchit. Ou sortez prendre l'air. S'accorder des pauses de temps en temps, respirer profondément, exécuter quelques mouvements physiques, c'est tout faire pour rester en bonne santé et donc fournir un travail de qualité. Le repos, dit le zen, fait partie du travail.

PRENEZ RENDEZ-VOUS AVEC VOUS-MÊME POUR DU VÉRITABLE FARNIENTE

Mon passe-temps favori, c'est laisser passer le temps, avoir du temps, perdre son temps, vivre à contretemps.

Françoise Sagan, *Carpe Diem*

Pour cela cependant, votre esprit doit être en paix, vos tâches accomplies : levez-vous très tôt, accomplissez vos tâches les plus importantes (courriers urgents ou ennuyeux, rapport de travail à lire, ménage, courses pour la semaine...) et essayez d'avoir tout terminé pour 11 heures. Alors, là... remettez-vous au lit. Savourez ce bonheur extrême de ne plus rien avoir à faire jusqu'au lendemain matin. La paresse devrait se déguster, s'apprécier comme un luxe, un privilège.

NE GASPILLEZ PAS VOTRE ÉNERGIE : AGISSEZ SUR-LE-CHAMP

À lutter, on perd de l'énergie...
Contentez-vous juste
de traiter les situations lorsqu'elles se présentent.

Cheng, Wing Fun et Hervé Collet,
Recueil des maîtres zen

Préparer son sac, une tenue complète sur un cintre pour le lendemain, régler ses factures sans attendre... Diriger son attention sur une chose au moment où elle se présente et l'achever avant de se tourner vers la suivante évite les allées et venues inutiles ainsi que les tracas quant au passé et à l'avenir. Remettre à plus tard non seulement stresse mais représente une fuite menant à l'échec alors que se débarrasser d'une corvée est le meilleur moyen de l'oublier.

SE CONCENTRER SUR UNE CHOSE À LA FOIS

Faire plusieurs choses à la fois rend moins efficace et engendre stress, erreurs et perte de temps (il faut changer de rythme et de matériel pour chaque tâche). Au contraire, se concentrer sur une seule tâche au point que tout le reste disparaît autour de soi (y compris le temps) rend productif et heureux.

LIMITEZ VOS PROJETS
DANS UN DÉLAI DE TEMPS PRÉCIS

On ne possède rien, jamais, qu'un peu de temps.
Eugène Guillevic, *Exécutoire*

Limitez vos projets à un ou deux au maximum et ce, dans un délai de temps précis. Vous ne disperserez pas vos forces, vous ne diluerez pas votre énergie.

UNE VISUALISATION QUOTIDIENNE
POUR RÉUSSIR

Avoir du temps,
c'est posséder le bien le plus précieux
pour celui qui aspire à de grandes choses.
Plutarque, *Vie des hommes illustres*

Se concentrer quelques minutes sur des visualisations n'est pas une perte de temps. On dit que ceux qui font ces exercices réussissent mieux dans la vie que les autres. Imaginez-vous, par exemple, avec 10 kilos de moins. Donnez à cette personne une image exacte (tenue, chaussures, coiffure), puis, au quotidien, agissez avec cette image en tête. Cultiver trop d'ambitions trouble le mental, l'éparpille et l'empêche de se concentrer sur ce qui le motive pour agir.

LA MÉTHODE COUÉ :
UNE PETITE PHRASE À RÉPÉTER À VOIX HAUTE VINGT FOIS DE SUITE PAR JOUR

*Tous les jours, et à tout point de vue,
je vais de mieux en mieux.*

Précepte célèbre d'Émile Coué

Y croire, se le répéter et y arriver, c'est la méthode Coué. Malgré sa connotation négative, cette méthode donne des résultats concrets au quotidien. Mais avant de l'entreprendre, trois conseils : décelez ce qui est négatif dans votre entourage, transformez les imprécations en suggestions positives (ne jamais se dire des choses négatives comme « je vais encore échouer ») et visualisez l'objectif à atteindre. Quelle serait votre petite phrase, à vous ?

PEU D'OBJECTIFS MAIS DES OBJECTIFS MESURABLES ET PRÉCIS

Choisir son temps, c'est l'épargner.

Francis Bacon, *Essais*

Ne faut pas voir trop grand au début et commencer par quelque chose d'hyper-facile est important pour mener un projet à bien. À quel moment de la journée appliquerez-vous cette nouvelle habitude ? À combien de verres de vin (toujours le même) vous restreindrez-vous ? « Plus », « moins » sont des mots « élastiques ». C'est en sachant exactement ce que vous voulez et en décidant de moyens précis pour l'obtenir que vous atteindrez vos objectifs.

NE CHERCHEZ À CHANGER QU'UNE MAUVAISE HABITUDE À LA FOIS

Vivre, c'est changer du temps en expérience.

Caleb Gattegno

De petit succès en petit succès on parvient aux grandes victoires. Pendant un mois, concentrez-vous sur une seule habitude pour perdre l'ancienne et acquérir la nouvelle. Se concentrer sur un seul changement à la fois peut paraître fastidieux mais c'est le plus sûr chemin vers la réussite. Moins fumer par exemple : décidez d'un endroit précis à une heure précise. Chaque cigarette n'en sera que meilleure.

« LENTEMENT MAIS SÛREMENT » : DES OBJECTIFS EN DESSOUS DE VOTRE PORTÉE

Confronté à la roche, le ruisseau l'emporte toujours. Non par la force, mais par la persévérance.

Confucius

Marquer une coupure entre chaque activité permet de mieux se concentrer sur chacune. À plus grande échelle, appréhender chaque phase de la vie en boucles distinctes, avec pour chacune un début et une fin, amène à plus de détachement : passé, présent et futur se dessinent avec netteté. Imaginons des contrats de mariage, d'ordination des prêtres... de sept ans : ils seraient tellement plus faciles à tenir ! Qui peut affirmer qu'il ne changera jamais ?

LORSQUE L'AMPLEUR D'UNE TÂCHE VOUS PÈSE, FRAGMENTEZ-LA EN TRANCHES DE DIX MINUTES

*On ne trébuche pas sur une montagne,
mais sur une pierre.*

Proverbe indien

Pour atteindre son but, il faut en briser le processus en mini-étapes. Donnez-vous par exemple dix minutes chaque jour, pendant une semaine, pour un grand ménage : le balcon aujourd'hui, le garage demain... L'être humain surestime ce qu'il peut faire de grand mais sous-estime la force des petits pas. C'est ce qui le mène à l'échec et à l'abandon. Le moindre petit résultat positif, au contraire, encourage.

Se fixer des objectifs en dessous de sa portée semble vain mais ce sont les plus gratifiants. La folle ardeur attachée à tout nouveau projet s'émousse vite car elle pompe notre énergie. Vous commencez le yoga et pensez pouvoir garder un rythme de trente minutes chaque matin ? Tenez-vous-en à cinq minutes malgré l'envie de continuer. Attendez le lendemain. Vous conserverez votre énergie sur la durée. Commencez par commencer. Toute entreprise doit évoluer pas à pas.

PROGRAMMER LE DÉBUT DE MISE EN ACTE D'UN OBJECTIF

Le temps de réflexion est une économie de temps.

Publius Syrus

Programmez le début d'un projet pour une date précise. En retardant le début de votre programme, vous ne ferez qu'en augmenter l'envie.

FAIRE DE L'EXIGENCE ENVERS SOI-MÊME UNE SOURCE DE SATISFACTION

La vraie liberté consiste dans la faculté de choisir ses propres contraintes.

Reine Malouin

En silence les disciples du zen travaillent sur eux-mêmes. Cela commence par de petites choses apparemment anodines mais qu'ils prennent fort au sérieux : c'est la condition *sine qua non* pour en maîtriser de plus grandes : faire le ménage chaque matin même s'il n'y a pas de poussière, cuisiner à heures régulières même sans appétit... Ce sont ces mini-actes de discipline intérieure qui empêchent l'esprit de toujours avoir à négocier avec sa propre inertie et produisent l'énergie.

DEUX PETITES MINUTES SUFFISENT À ACCOMPLIR TANT DE CHOSES

Se donner du mal pour les petites choses, c'est parvenir aux grandes avec le temps.

Samuel Beckett, *Molloy*

Se dire dix fois par jour pendant trois mois qu'il faudrait téléphoner à Paul et ne pas le faire, c'est perdre de l'énergie neuf cent trente fois. Deux petites minutes suffisent à régler tant de menues besognes repoussées si souvent par manque de courage (tenir ses comptes à jour, envoyer un mot de remerciements, se démaquiller, prendre une douche...). Entre « rien » et ces deux petites minutes, la vie peut tellement changer en mieux !

QUAND LE TEMPS EST COMPTÉ LES CHOSES DOIVENT AVOIR UN ORDRE

Plus vous laissez de temps à un travail pour se réaliser et plus il a tendance à prendre ce temps qui s'allonge pour se réaliser.

Cyril Northcote Parkinson

Ce sont les personnes les plus occupées qui gèrent le mieux leur temps : elles savent quoi suit quoi parce qu'elles ont établi, au fil du temps, une routine efficace. Soins du corps, maquillage, ménage, cuisine... Tout apprentissage s'acquiert, se perfectionne jusqu'à ce que chaque mouvement, chaque enchaînement ait son sens. Repensez une fois pour toutes une routine précise pour ce qui ne peut être esquivé.

LE MÉNAGE EN CINQ ÉTAPES QUINZE MINUTES

Une routine bien rodée peut en faire un ac[...] aussi banal que celui de se brosser les dents. P[...] mièrement : laver la vaisselle, la ranger et f[...] les lits (rassembler au passage tout ce qui [...] partir : journaux de la veille, paquets vides d[...] cuits...). Deuxièmement : nettoyer les point[...] (cuisine, W-C, salle de bains). Troisièm[...] épousseter. Quatrièmement : faire briller [...] terie et miroirs. Cinquièmement : nettoy[...] (aspirer ou passer le balai).

SE CRÉER DES BOUCLES DANS [...]

Le temps n'a qu'une réalité, cell[...] Autrement dit, le temps est une [...] sur l'instant et suspendue entr[...]

Gaston Bachelard, *L'Intuiti[...] Étude sur la "Siloë" de [...]*

8 – ÉLOGE DE LA FADEUR, DE LA MINUTIE ET DE L'HUMILITÉ

Simplicité et platitude sont gages
d'authenticité ; à l'opposé de la saveur dont
l'intensité et le pouvoir de séduction sont
condamnés à s'user, la « fadeur »
du Sage ne lasse jamais.

François Jullien, *Éloge de la fadeur*

L'homme, avant de connaître les passions, est, de nature, « neutre » et équilibré. C'est l'influence de la société (plus particulièrement la nôtre) qui loue l'attrait du clinquant, de la réussite sociale, du pouvoir et de l'affirmation de soi. Bien qu'il en souffre sans trop savoir pourquoi, réalise-t-il que cette attitude et son intensité factice anesthésient ses sens, l'épuisent et le condamnent à des plaisirs jamais inassouvis ? Il n'en fut pas toujours ainsi. D'autres époques, cultures (zen, taoïsme, puritanisme, confucianisme, stoïcisme...) ont érigé le neutre, le banal et le discret en vertus, gages de noblesse et de félicité. Certes, cette neutralité n'a pas de saveur apparente. Mais elle est d'autant plus précieuse qu'elle refuse de s'afficher. Rechercher « l'infiniment peu » dans le sensoriel, la retenue ou la minutie des gestes permet de ne pas tomber dans le piège d'extrêmes qui finissent par nous cantonner à nos propres limites. Affinez vos sens, aiguisez-les : recherchez ce que cachent la fadeur, la neutralité, la modestie, la grandeur des petits riens du quotidien. Cet infiniment peu vous permettra d'évoluer dans un état de renouvellement infini. Il s'agit là, certes, d'un renversement des valeurs mais c'est cette humilité, justement, qui conduit au détachement intérieur, à l'esprit du non-avoir, à la disponibilité (grâce à peu ou aucune attache fixe), à l'ivresse (de voguer au gré des flots, des amis...) et à la mouvance (dans un monde délivré de toute contrainte). Laissez ce peu se déployer, se manifester concrètement, constamment. Au même titre que le vide, la paix intérieure et le non-agir, la « fadeur-détachement » fera de vous un être d'une banalité tout aussi exemplaire qu'exceptionnelle.

LA « BANALITÉ » :
UNE FORME D'ESTHÉTIQUE

Rien n'est neutre. Même la banalité dans le choix de ses possessions peut devenir une esthétique dont il est toujours possible de concevoir un degré supérieur, de repousser les frontières.

Mais cette forme de beauté se cherche, s'apprend, se conquiert. Et, de plus, elle s'achète rarement. Car c'est de cet accord parfait avec la part la plus haute de soi qu'elle dépend.

DES PIÈCES AUX TONS DISCRETS

Il y avait à gauche de l'entrée un cabinet
de toilette et à droite un réchaud à gaz et un évier.
Près de la fenêtre, un petit sofa recouvert de toile,
une table ronde en bois près du lit, et dans un
coin de la pièce, un petit réfrigérateur aux allures
de coffre-fort. Tous ces éléments étaient sobres
et nets mais sans froideur.

Yoko Ogawa, *Une parfaite chambre de malade*

L'architecture japonaise traditionnelle bannit l'excès de couleurs, le brillant, les éléments visuellement agressifs. Pour ce peuple d'esthètes, lumières crues, parquets vitrifiés, miroirs, couleurs crues et dures comme le blanc, les tons vifs ou les motifs bariolés tuent la beauté. Seuls les matières naturelles, la lumière tamisée des fenêtres en washi, les couleurs éteintes et les coins d'ombre sont agréables à vivre et donc bénéfiques à l'être humain.

LE PEU DE GOÛT APPARENT DES METS RAFFINÉS

*Je veux apprendre de plus en plus à voir la beauté
des choses dans leur nécessité.*

Nietzsche

Moins elle a de goût plus la cuisine japonaise est raffinée. C'est à l'amateur, après avoir pris une bouchée, d'attendre, de deviner le plaisir recherché : l'exquise pointe de rance dans une lamelle de lard de baleine, le goût beurré d'un haricot vapeur… Tout le monde est à même de reconnaître les saveurs épicées mais la fadeur apparente de certains mets appelle à une découverte progressive de « gustation » que seules des pupilles éduquées peuvent déceler.

PRÉPARER UN PETIT PLATEAU POUR LE SAKÉ

*Je choisissais de petites pommes acides…
je les façonnais en fines lamelles sous forme
de feuilles de ginkgo… pour les tartiner de fromage
à la crème. Je priais pour que la blanche finesse
du fromage à la crème mêlée
à la fraîcheur de la pomme se mélangent
harmonieusement.*

Yoko Ogawa, *Une parfaite chambre de malade*

Sculpter dans un concombre une fleur, y disposer un demi-œuf de caille et une pointe de sauce rose (mayonnaise et œufs roses de morue) puis disposer ce minuscule amuse-gueule sur un plateau, avec une fiole de saké tiédi et sa coupelle, des baguettes en laque et leur support, n'est pas une perte de temps. C'est l'art de vivre.

DES ODEURS « SANS ODEUR »

Autrefois, au Japon, chaque femme concoctait à base d'encens divers en poudre son propre parfum. Elle ne le portait pas à même la peau mais en imprégnait ses kimonos. Elle savait alors, à l'odeur de ses vêtements, si son mari l'avait trompée. De nos jours, les petites maikos se passent un peu de cette poudre sur la nuque, laissant, dans leur sillage, un léger effluve. En présence de leurs hôtes elles n'auraient jamais l'indélicatesse d'imposer leur parfum.

L'ESTHÉTIQUE DU GESTE : UNE RELIGION TOUTE JAPONAISE

Ses gestes étaient méticuleux. D'ailleurs, ils l'étaient pour tout ce qu'il faisait dans la maison, comme actionner les boutons du feu ou tourner les pages du calendrier. Il faisait tout avec une tranquille application.

Yoko Ogawa, *Un thé qui ne refroidit pas*

Tenir un coton de dissolvant entre l'annulaire et le majeur, faire mousser le savon démaquillant dans la paume de ses mains, démêler ses cheveux en commençant par les pointes, désigner une direction avec la main opposée à cette direction (le corps doit toujours rester « resserré sur lui-même » et éviter de l'étendre dans l'espace)... tout, au Japon, se pratique dans les formes avec des gestes précis, nets et étudiés. C'est à travers ces infimes détails qu'on esthétise son vécu, honore sa vie.

MINUTIE DES GESTES ORDINAIRES

Elle mettait les feuilles de thé dans le pot émaillé. Elle en a mis trois cuillères bombées, et son geste pour verser l'eau bouillante fut précautionneux comme pour une expérience scientifique.

Yoko Ogawa, *Un thé qui ne refroidit pas*

Servir le thé, rincer la théière, la disposer délicatement à sécher à l'envers avec, posé dessus, son couvercle, la faire briller avec un reste de fond de thé, voilà ce que représentait, autrefois, au Japon, l'art de vivre avec économie et élégance. Le mot « minutie » se rapporte à ce qui est petit, soigné, exact. Toute chose accomplie ainsi a des répercussions bien au-delà du résultat obtenu : elle apaise, enrichit de cette beauté qui règle le quotidien et est recherchée pour elle-même.

Il verse doucement l'eau sur chaque pot, veillant à ne pas faire déborder la terre. On ne surprendrait personne dans cette ville à agir avec brusquerie. Le thé, dans les tasses, est versé de la même façon. Humilité ? Respect de l'eau, des plantes, des objets ? Nul n'a jamais pu m'expliquer cette compassion envers les choses qui fait la force, l'élégance et la grandeur de ceux qui la pratiquent.

Le ménage : des gestes mesurés, précis, efficaces et utilitaires

La netteté impeccable de sa chambre suffisait à mon bonheur. je n'avais pas besoin de penser à des choses inutiles.

Yoko Ogawa, *Une parfaite chambre de malade*

Placards, intérieur du frigo... inutile de tout sortir pour nettoyer. Veillez seulement à garder vos étagères à moitié vides. Il suffira alors de déplacer de l'autre côté les objets pour nettoyer tout en lavant au fur et à mesure ce qui est sale (une bouteille de ketchup qui a coulé...). Pour plus de maniabilité et de minutie, pliez en petits carrés épousant parfaitement la paume de la main vos chiffons. Procédez par gestes précis et mesurés sans repasser deux fois sur la même surface.

DU LINGE MINUTIEUSEMENT ENTRETENU

J'aimerais, bien sûr, accomplir une grande et noble tâche, mais mon premier devoir est d'accomplir les tâches du quotidien comme si elles étaient grandes et nobles.

Helen Keller

Aimer son linge, c'est aimer l'entretenir, le laver, l'étendre impeccablement (ce qui évite, parfois, de le repasser) puis le plier de façon invariable et parfaite. Certains vont même jusqu'à détester les piles en vrac de linge sale : ils le plient par catégories : sous-vêtements, blanc, couleur...

ET SI DE LA TAILLE DES DÉCHETS MÉNAGERS DÉPENDAIT LA GRANDEUR D'UN PEUPLE ?

L'éthique, c'est l'esthétique du dedans.

Pierre Reverdy

Une amie plie, roule, aplatit et compacte tous ses déchets ménagers. Jamais elle ne jetterait un papier froissé en boule. Ses sacs-poubelle sont très propres et minuscules. Il est vrai qu'à Kyoto, les sacs d'ordures ménagères sont payants. Mais c'est moins de l'économie que de leur amour-propre que les ménagères se soucient : de la taille des sacs, déposés devant les portes, dépend la réputation.

LES MINI-ACTES DE RANGEMENT :
UN PLAISIR SECRET

*Chaque chose à sa place et une place
pour chaque chose.*

Proverbe

Faire sécher sa vaisselle et la ranger, laver la gazinière et les petits torchons quotidiennement... Ces gestes évitent les longues heures de « grand ménage ». Ils prolongent aussi la durée de vie des choses. Tout ranger impeccablement et aimer trouver un endroit parfait pour chaque chose se « pense ». Dès que ma belle-sœur japonaise arrive chez moi, à l'hôtel..., elle décide sur-le-champ de l'endroit où elle posera, tout au long de son séjour, son sac, son linge, sa montre...

LA GRANDEUR DES PETITES FLEURS

*Le plus grand trésor de l'homme est de vivre
de peu tout en restant satisfait.
Car le peu ne manque jamais.*

Lucrèce

Autant, au Japon, les compositions florales dans les lieux publics sont grandioses, autant, chez les particuliers, elles sont faites de minuscules fleurs des chemins. Voilà peut-être là la façon de ce peuple de célébrer par l'infiniment peu la grandeur de la nature. L'ikebana est l'art de créer la beauté

avec le minimum : une fleur, une feuille, un contenant, un pique-fleurs ou deux branches en croix
servant de support (une pâquerette, deux feuilles
plates, un coquetier ébréché...).

LE RITUEL VESPÉRAL DE LA JAPONAISE

Dieu est dans les détails.

Flaubert

Le soir, après avoir nettoyé sa cuisine, pris son
bain et jeté un cardigan sur ses épaules, la Japonaise se met, une fois la maisonnée endormie, à planifier ses menus, tenir son kakebo et, en quelques
lignes, rédiger son journal intime. De son écriture
nette et régulière transparaissent le devoir et la
fierté d'une vie réglée. « Kotsu kotsu »... Voilà une
manière de trouver l'apaisement dans un environnement parfois dur, et de jouir secrètement d'une
vie ordonnée et minutieuse.

L'IDÉAL FÉMININ JAPONAIS : RIEN D'EXPANSIF NI D'ABUSIF

Une femme bien intentionnée lui avait dit ceci :
attention au mariage... choisissez une personne qui
s'assied toujours de façon correcte, n'aimant pas
boire, et puis le visage souriant.

Kawabata Yasunari, *Récits de la paume de la main*

Une femme très bonne, sans rien d'expansif ou d'abusif dans ses sentiments est l'idéal féminin du Japon. Sa vertu ? La patience. Ce qui fait sa beauté, c'est ne jamais se plaindre, montrer sa colère ou le moindre geste d'agacement. Même en ayant traversé de grands malheurs, elle sourit. Son éducation lui a enseigné qu'afficher le malheur ne renvoie rien de positif et que le promener avec soi sur son visage, c'est placer un fardeau sur l'épaule des autres.

NE PAS FAIRE ÉTALAGE DE SES RICHESSES

Celui qui a commencé à vivre
plus simplement de l'intérieur commence
à vivre plus facilement de l'extérieur.
Ernest Hemingway

La vraie pauvreté, c'est la pauvreté intérieure : l'humilité (ou la décence) de ne pas faire montre de ses richesses, de ne pas afficher son bonheur afin de ne pas rendre les autres envieux. "Pauvreté" ne signifie pas seulement le manque d'argent. C'est aussi l'humilité de l'esprit.

UN HABILLEMENT SOBRE

La démesure fascine un instant, mais elle devient insupportable à la longue. Seule la mesure ne dévoile jamais son secret.

Henri Cartier-Bresson

Ceux qui ont la chance d'être allés un jour à Kyoto ont probablement remarqué que la couleur la mieux portée, dans cette ville, est le gris, la couleur de l'humilité. Soyez gris sur gris et vous serez certain d'être vu. L'élégance, pour les Japonais, est, plus qu'une question de moyens, une affaire de classe. Autrefois, le summum de l'élégance était de porter des kimonos parfaitement neutres extérieurement mais ornés de merveilleuses peintures au revers.

9 – PAROLE ET PARCIMONIE

Les mots ont perdu leur valeur.
On ne fait plus confiance à ce que les gens disent.
Et les gens ne comprennent même plus
ce qu'ils disent eux-mêmes.
Il y a une imprécision grandissante dans le langage
qui est un peu terrifiante.
J'essaie d'être méticuleuse dans mon discours
dans le sens où je dis exactement ce que je veux
dire et avec un minimum de mots.

Toinette Lippe

Nous ne conversons plus vraiment. La plupart du temps nous ne faisons que lancer des opinions qui rebondissent sur autrui ou fuient, en parallèle. Le silence oppresse le citadin qui le noie dans les mots. Il se contente, pour remplir le vide de sa vie, de parler.

Moins parler, user des mots avec profondeur et parcimonie, est une de ces autres formes de l'infiniment peu : privilégiez le silence extérieur pour vous tourner vers la quiétude de l'esprit sans laquelle vous ne mettrez jamais fin aux racines de l'ignorance et de la souffrance, enseigne le zen. Ainsi seulement sera-t-il possible de briser le voile des apparences. L'importance du silence est particulièrement évidente dans les temples zen, lors des retraites intensives de méditation où il est interdit de prononcer le moindre mot mais aussi d'entretenir quelque pensée ou intention que ce soi. Le silence ainsi respecté permet une attention radicale à l'instant présent. C'est-à-dire notre vie.

NEVER EXPLAIN, NEVER COMPLAIN

« N'explique pas et ne te plains pas », répétait la reine Victoria lorsque son fils, George, avait du mal à supporter les rigueurs de la vie au palais. Et nous, combien de fois en venons-nous à nous plaindre, en paroles ou en pensées, de telle ou telle situation, de ce que les autres disent ou font, de notre environnement ou même de la météo ? Se plaindre comporte en soi invariablement une charge négative inconsciente. C'est aussi imposer un poids aux autres.

POLITESSE ET COURTOISIE

Use moins de la parole mais souris plus.
Proverbe japonais

Lorsque je téléphone à Rié alors qu'elle fait son ménage, elle me répond simplement qu'elle est occupée et qu'elle me rappellera. Aucune excuse ni explication superflue. Que de légèreté ! Elle n'a pas de répondeur automatique, fuit les relations sociales superficielles mais est aimable avec tout le monde. Politesse et courtoisie permettent d'économiser, chaque jour, tant de petites sources de stress qui, mises bout à bout, finissent par engendrer le mal de vivre en société !

LA FORCE DE CEUX QUI FONT PEU USAGE DE LA PAROLE

Ceux qui se taisent disent plus de choses que ceux qui parlent tout le temps.

Octave Mirbeau, *Les affaires sont les affaires*

Force et énergie émanent du silence. Garder le silence est une forme de self-control émotionnel. Cela aide les autres à sentir que vous êtes fort, que vous avez la faculté de penser, mais tout cela, intérieurement. Tous les êtres aiment la force retenue : ils réagiront positivement, se sentant alors en sécurité et soutenus. Ne dites rien, ne faites rien : vous en inspireriez d'autant plus de respect. Pour connaître les autres, ce qu'il faut, plus que les mots, c'est du temps.

LE ZEN : SUGGÉREZ LES PRINCIPES
SANS LES ÉLABORER

Tu es le maître des paroles que tu n'as pas
prononcées ; tu es l'esclave de celles
que tu laisses échapper.

Lao-Tseu

Le disciple du zen ne gaspille d'énergie ni dans la vie, ni dans les activités artistiques. Il a pour principe d'aller « droit devant lui ». Il se contente de suggérer les principes sans les élaborer. De la même façon il ne s'arrête jamais pour fournir des explications verbales. Il désigne « le cyprès dans la cour » ou « le bosquet de bambous au pied de la colline » lorsqu'il rencontre une personne essayant d'avoir recours aux commentaires ou à l'analyse métaphysique.

S'EXPRIMER AVEC FRANCHISE ET CLARTÉ

Les « endimanchés » donnent des noms
compliqués à tout.

Urabe Kenko, *Heures oisives*

La première qualité du style, disait Aristote, c'est la clarté. Le propre d'une personne intelligente est d'écouter les autres puis leur répondre clairement en peu de mots. Son élocution est nette, le timbre de sa voix posé. Elle évite les endroits bruyants et préfère alors s'abstenir de parler. Veillez à ce que les accords que vous concluez avec autrui soient limpides. Posez des questions sur tout ce que vous ne comprenez pas ou désirez éclaircir. Votre relation aux autres changera.

LES SENTIMENTS SE PASSENT DE MOTS

Les confidences sont toujours pernicieuses
quand elles n'ont pas pour but de simplifier
la vie d'un autre.

Marguerite Yourcenar, *Alexis ou le traité du vain combat*

Les Japonais disent que mettre des mots sur les émotions, c'est en faire des mensonges. Car tout change dès l'instant où quelque chose a été exprimé. L'amour, par exemple : pourquoi alourdir ce qui doit rester en suspens ? Nous devrions nous contenter de l'apprécier à la mesure de sa gratuité sans rien demander ni exiger. La tristesse, le chagrin ? Ils finiront par s'alléger, trouver un équilibre dans notre cœur avec le temps.

NE PAS AFFICHER SES ÉMOTIONS

À chaque instant, le silence t'apporte
des nouvelles.

Rainer Maria Rilke

L'éducation japonaise est très stricte sur ce point : afficher ses émotions, quelles qu'elles soient, importune les autres. Pour que l'harmonie règne avec autrui, chacun doit prétendre être sur les mêmes « longueurs d'ondes » que les autres. Même si, intérieurement, il n'en est rien.

PEU PROMETTRE POUR ÉVITER LE « PROMISE BLUES »

Le plus lent à promettre est toujours le plus fidèle à tenir.

Jean-Jacques Rousseau

Tenez vos promesses ou, mieux, n'en faites pas. Il est souvent plus difficile de les tenir que de les avoir faites. Il peut arriver même d'en devenir victime. Sinon, comment voulez-vous que les autres continuent à vous croire ? La crédibilité est comme le fond d'un navire. S'il est percé, cela ne fait pas de différence si le trou est gros ou petit. Une étude sur les personnes heureuses a révélé que celles tenant leurs promesses l'étaient trois fois plus que les autres.

SUPERLATIFS ET EXCLAMATIONS

Usez des mots comme de l'argent.

Georg Christoph Lichtenberg

L'éducation japonaise enseigne aux enfants à parler le moins possible, à s'exprimer sans exclamations ou superlatifs et surtout à ne faire aucun geste corporel ou expressions faciales. Question de respect pour le repos de l'autre.

LAISSEZ LA PAROLE AUX AUTRES : CONTENTEZ-VOUS DE LES ÉCOUTER

Ne prends la parole que si ce que tu vas dire est plus fort que le silence.

Euripide

Une personne sachant écouter est comme un miroir pour les autres : elle suspend ses propres pensées pour se concentrer sur eux. Elle leur donne ainsi de l'espace pour ÊTRE ; voilà le don le plus précieux qu'elle puisse leur offrir. On ne peut sentir une autre personne qu'à travers son propre être. Pour cela, il faut créer en soi un espace clair de « non-pensée » et ne pas rester préoccupé par ce que l'on pense, soi.

UNE AMIE SILENCIEUSE

Le silence est l'interprète le plus éloquent de la joie.

William Shakespeare

Certaines relations, paradoxalement, ne se nourrissent que de ce qui est soustrait à la pesanteur verbale. Une de mes amies et moi passons des journées à marcher, admirer les choses sans parler. À peine un « au revoir » lorsque la première des deux prend le bus pour rentrer chez elle. Contrairement à ceux qui subissent leur solitude, ceux qui la choisissent n'étourdissent pas les autres de propos incessants.

Un homme qui surveillait son langage

Quand je l'ai rencontré pour la première fois, je pensais qu'il se surveillait et ne laissait pas aller sa langue à des expressions de sentiments frivoles, d'antipathie, de complaintes et de remontrance... Après une longue observation, j'eus le soulagement de constater qu'une telle absence ou inconscience était parfaitement vraie. Sa voix profonde, claire et honnête contribuait au charme des choses les plus simples qu'il disait. Il ne parlait jamais en mal de quelque nationalité, classe sociale ou époque de l'histoire du monde, ou de quelque commerce ou occupation, même pas des animaux, insectes, plantes ou objets inanimés, ni d'aucune loi de la nature, ou des résultats de ces lois, comme des maladies, déformations ou morts. Il ne se plaignait jamais ou ne maugréait à propos du temps, de la douleur, de la maladie, ou quoi que ce soit d'autre... Jamais, dans la conversation, il n'employait un langage indélicat... il ne parlait jamais en colère,

*ne montrait jamais de peur, et je ne crois pas qu'il
n'en ait jamais ressenti.*

Écrit par Brücke à propos de Walt Whitman

PEU DE PAROLES MAIS DES ACTES

*Toutes les pensées que j'ai emprisonnées en les
exprimant, je dois les libérer par mes actes.*

Khalil Gibran, *Sable et Écume*

Plutôt que vous perdre en bavardages – autrement dit en monologues parallèles ou en affrontements qui ne mènent à rien, agissez. Les mots, enseigne le zen, non seulement ne font que nous mener aux conventions qui nous structurent (et nous limitent) mais nous détournent de ce que nous sommes.

FAITES EN SORTE DE NE PLUS RIEN AVOIR À DÉFENDRE

*Plus on parle, plus l'on pense. Et plus l'on pense
plus l'on s'éloigne de la réalité des choses.*

Seng Tsan (moine poète zen du VIIe siècle)

Cessez, enseigne Seng Tsan dans ses écrits, d'avoir des opinions. Ne vous cantonnez pas dans la dualité. Votre meilleure défense est ne pas juger, ne pas garder de rancœur, de haine, de ne rien avoir à défendre. Moins vous critiquerez ou tenterez de mettre des mots sur des choses, plus vous deviendrez invisible. Cette attitude n'est pas une fuite : c'est une manière d'être, tout simplement, sans rien chercher à être, prendre, ou défendre.

PEU PARLER DE SOI, PEU SE CONFIER

Negatio veritatis debitae.
Saint Thomas d'Aquin

Vous n'êtes pas obligé de tout dire. Limitez vos propos uniquement à ceux qui sont d'intérêt pour votre interlocuteur. Tout dire ne nous livrerait-il pas pieds et poings liés aux autres ? On ne doit dire la vérité que si celle-ci est un dû, prêchait saint Thomas d'Aquin. Les hommes du zen, eux, ne parlent pas d'eux-mêmes. Ils n'éprouvent pas le besoin de faire des confidences. Seuls peuvent approcher leur secret ceux qui se mettent en chemin de le vivre eux-mêmes.

L'ÉLOGE DU SILENCE

Vivant comme un oisif, sur quoi disserterais-je ?
Un bâtonnet d'encens est ce que je respire. Si je

dors, j'ai du thé ; si j'ai faim, j'ai du riz. Je marche
au bord de l'eau et m'assieds face aux nuages.

Liaoan Qing,
Poèmes chan traduits par Jacques Pimpaneau

Porter un intérêt envahissant aux mots et à la rhétorique empêche de penser, de sentir le plaisir de la quiétude intérieure. Le silence, lui, nous rend apte à prendre conscience des choses, percevoir l'ineffable, l'inexprimable, le non-concret. Il nous régénère, nous confronte à notre passé, à nos aspirations, à nos rêves. Il nous guérit parce qu'il est là, immuable, et qu'il reflète cette part de nous-même elle aussi immuable.

10 – PEU D'AMIS
MAIS DE VRAIS

Se laisser emporter par une multitude
de problèmes conflictuels, répondre à trop
de sollicitations, s'engager dans trop de projets,
vouloir aider tout le monde en toute chose,
c'est succomber à la violence de notre époque.

Théodore Monod, *Le Désert des déserts*

Se choisir une vie sculptée, libre, désencombrée d'un fatras social et relationnel étouffant, engluant, stressant, voilà une autre façon d'adhérer à l'infiniment peu. Dans les relations humaines aussi le minimaliste exclut la prodigalité, la promiscuité et la profusion pour qui elles sont insupportables et vulgaires. Dès qu'il le peut, il fuit la société, cultive son individualité et protège jalousement sa solitude. Quelques amis choisis lui suffisent. Pour le reste, il réduit ses relations à l'utilitaire et à l'inévitable : collègues de travail, boulanger, voisins... Des liens sociaux ? Oui, mais le moins possible, les plus ténus possibles, les moins fréquents possible. L'homme « animal social », explique Marc Halévy dans un de ses ouvrages, est un mythe inutile de nos jours : il fut inventé au temps de la précarité de la vie et de la nécessité de l'entraide. Le minimaliste n'est pas social : seuls les faibles ont besoin des autres et se rassemblent pour pallier leurs faiblesses par le nombre. Ils sont par nécessité solidaires. Les forts, eux, se suffisent à eux-mêmes et vivent leur propre vie sans s'occuper de celle des autres : peu de promesses, de confessions, d'engagements, de sentimentalisme amoureux... Le peu est vraiment l'élixir de sagesse dans un monde de plus en plus compliqué et angoissant.

L'AUTONOMIE : UNE NÉCESSITÉ

Faisons que notre contentement dépende de nous,
déprenons-nous de toutes les liaisons
qui nous attachent à autrui,
gagnons sur nous de pouvoir
à bon escient vivre seuls
et y vivre à notre aise.

Michel de Montaigne

En encourageant insuffisamment l'autonomie de l'individu, la société favorise les frustrations, et accroît le nombre d'individus souffrant d'affections chroniques et de mal-être. Au lieu de vouloir tout faire ensemble nous devrions aspirer à devenir indépendants et autonomes. Ce qui n'empêche pas les amitiés ou les solidarités. À condition qu'elles soient sélectives, électives et gratuites.

PEU DE RELATIONS INTIMES

Presque tous les hommes sont esclaves faute de savoir prononcer la syllabe « Non ».
Nicolas de Chamfort

Le minimaliste n'entretient de relations intimes qu'avec un petit nombre et se contente de rapports courtois avec les autres (dans courtoisie il y a « court » !). Il ne se mêle pas de leurs affaires et leur fait comprendre qu'il attend la même chose de leur part, évite de parler d'argent (s'il le fait, il parle franchement) et présente le moins possible ses amis les uns aux autres : cela, pensent les Japonais, implique d'endosser la responsabilité de problèmes éventuels entre eux.

SÉLECTIONNER SES CONTACTS SOCIAUX

La plupart des affections ne sont que des habitudes ou des devoirs qu'on n'a pas le courage de briser.
Henry de Montherlant

Choisir d'avoir peu d'amis n'est pas, chez les personnes indépendantes, signe de froideur ou d'indifférence. C'est simplement être fidèle à soi-même. De la même manière que nous faisons le tri dans nos armoires, nous pouvons devenir plus sélectifs dans nos relations et retenir seulement celles nous nourrissant intérieurement, nous apportant autant intellectuellement, humaine-ment ou psychologiquement que nous leur don-nons, autrement dit des relations franches et simples.

ÉVITER LES RELATIONS ÉLECTRONIQUES

L'homme vraiment libre est celui qui sait refuser une invitation à dîner sans avoir à donner d'explications.

Jules Renard, *Journal*

La noblesse d'une relation dépend de sa qualité. Il n'est pas utile de voir ses amis très souvent. L'important est de vraiment communiquer lorsque nous les voyons. Mais cela, seules les per-sonnes profondes en sont capables. La technolo-gie semble rapprocher les êtres mais diminue la qualité des vraies relations. Comment des contacts sur « Facebook » pourraient-ils être autrement que superficiels ?

RELÂCHER SES LIENS AVEC AUTRUI

Tout attachement est signe d'insuffisance : si chacun de nous n'avait nul besoin des autres, il ne songerait guère à s'unir à eux.

Jean-Jacques Rousseau

Le désir de ne pas trop s'attacher aux autres n'est pas la même chose que s'en détacher. Relâcher ses liens avec les autres, c'est les laisser exister par eux-mêmes sans ressentir le besoin de les juger, les critiquer ou valider leurs actes. En amitié, cette attitude a pour mérite d'ajouter une nouvelle texture à des liens déjà solides.

ÉVITEZ LES PESSIMISTES ET LES PERSONNES IMBUES D'ELLES-MÊMES

L'honnêteté est une arme à deux tranchants, tandis que l'intelligence veille sur les intérêts personnels d'un individu.

Graham Greene, *Le Fond du problème*

Veillez à ne pas être trop bon, trop honnête. Ne vous laissez pas « pomper l'énergie » par les autres : vous préserverez ainsi votre santé mentale et physique. Choisissez la compagnie de personnes sans problèmes et autant équilibrées émotionnellement que psychologiquement. Beaucoup recherchent, à travers les autres, soit à se décharger du poids qui est en eux, soit à se faire valoriser. Quand quelqu'un est sûr de posséder la vérité, comment dialoguer avec lui ?

ÉVITEZ LES PERSONNES COMPÉTITIVES

Plus on est fort, plus on doit se manifester avec humilité. C'est cela être grand.

Omraam Mikhaël Aïvanhov, *Le Rire du sage*

Évitez les personnes se mesurant sans cesse aux autres, cherchant à être les meilleures, les plus belles, les plus intelligentes ou les plus riches. Elles ne cherchent, au fond, qu'à nourrir leur ego. Ne leur accordez pas d'importance : elles ne vous apporteront rien. Et nous, au fond, nous leur importons en général moins que nous le pensons.

L'ART DE FUIR LES BAVARDS

J'ai la prétention de ne pas plaire à tout le monde.

Sacha Guitry

Un bavard ? Dites-lui laconiquement : « C'est très intéressant mais nous en parlerons plus tard. » Ou, si c'est au téléphone : « J'ai du monde à la maison... J'étais sur le point de sortir... C'est très gentil à toi mais je n'ai pas le temps maintenant. Je te recontacterai. » Évitez les « plus tard », les précisions. Vous n'avez rien à justifier.

La légèreté, c'est savoir dire : « J'ai un rendez-vous ce soir », sans rien ajouter. Les autres s'habitueront à ce genre de réponse.

DES AMIS EXEMPLAIRES

*Les Privat... je dois aux Privat beaucoup plus que
la nourriture du corps, beaucoup plus
même que la bonté et la sollicitude dont ils
m'entourèrent, sans chercher même à accaparer
mon affection ; depuis ma petite enfance en effet,
j'ai toujours résisté à toute tentative d'emprise de
la part de qui que ce soit, obéissant à un instinct
profond de me garder libre, ne me sentant
vraiment défendu et en paix qu'au milieu d'êtres
profondément surnaturels. Je fus tout heureux de
l'affection des Privat, et prêt à la leur rendre, car
elle ne brûlait pas, ne possédait pas, n'essayait pas
d'emprisonner dans des démonstrations
extérieures, de prendre au piège d'une affection
intéressée.*

Thomas Merton, *La Nuit privée d'étoiles*

EXISTE-T-IL PLUS GRAND LUXE
QUE LA SOLITUDE ?

*(À propos d'un de ses meilleurs amis) :
Si je pensais devoir l'exclure de la solitude,
je serais dur.
Mais il me semble*

Sortir seul déguster une glace à la pistache ?
Oui, certains le peuvent si leur solitude est choi-
sie. Ils sont, comme disent les Tibétains, entrés
en amitié avec eux-mêmes. Mais la solitude n'est
pas réservée aux mystiques. Si vivre en société
consiste à échanger de l'énergie avec autrui, la
solitude consiste à en refaire le plein. Lord Byron
allait jusqu'à affirmer que c'est dans la solitude
qu'on se sent le moins seul. Les solitaires sont
souvent de compagnie délicieuse. Pourquoi ?
Parce qu'ils savent être seuls.

11 – SE LIBÉRER DU FATRAS ÉMOTIONNEL

L'étoile de notre destin est dans notre cœur, nous ne dépendons pas de forces étrangères.

Schiller

Se débarrasser de toute confusion émotionnelle permet de réaliser qu'au-dessous de tous les désirs fractionnés réside un besoin fondamental : l'envie de ce qui nous transcende, un monde transparent et naturel dans lequel l'énergie ne se dissipe ni en conflits sans importance ni en calculs mesquins.

DÉTACHEMENT ET ABSENCE DE SENSIBLERIE DANS LE ZEN

Les enseignements bouddhistes sont des prescriptions consignées pour traiter des maux spécifiques, pour éliminer les racines

des habitudes compulsives et dissiper les points
de vue émotionnels, afin d'être libre, l'esprit clair,
sans artifice. Il n'y a là aucune doctrine à méditer
ni faire sienne.

Cheng Wing Fun et Hervé Collet, *Recueil de propos,*
anecdotes et poèmes des maîtres zen

Le zen n'est pas seulement une discipline faite
de sobriété, de délicatesse ou d'esthétique. C'est
aussi un entraînement long, pénible et rigoureux
à l'abolition du sentimentalisme. Il instruit à
entretenir un rapport direct à la réalité, qu'il gèle
ou qu'il neige. Le disciple apprend à ne rien sol-
liciter, ne rien imposer, ne rien attendre et ne rien
donner pour prendre. Sa façon d'aider les autres
consiste simplement à être là : d'une part offrir
un exemple convaincant, de l'autre attendre.

L'AMOUR DE SON PROCHAIN ?

Que devez-vous faire si quelqu'un vient vous parler
de ses déceptions, de ses chagrins ? En attendant
d'être capable, comme le sage, de rire pour
les apaiser, sachez au moins une chose : souvent
la personne qui vous confie sa souffrance le fait
moins pour trouver une solution que pour vous
amener à partager son état. Et alors ? Si vous vous
laissez envahir par ses malaises, vous ne l'aidez
pas, car vous êtes paralysé et vous risquez de vous
enfoncer avec elle. Si vous voulez aider quelqu'un,
ne permettez pas que son trouble pénètre en vous.

*Restez lucide, paisible, solide, c'est la seule façon
de le tirer de là... En accompagnant les états négatifs, vous ne pouvez satisfaire que leur nature infé-
rieure.*

Omraam Mikhaël Aïvanhov, *Le Rire du sage*

GÉNÉROSITÉ, DÉVOUEMENT... : DES DOSES HOMÉOPATHIQUES

*Ton Cœur doit être comme un Jardin secret...
Garde-le plus que toute autre chose que l'on garde ;
car c'est de lui que procèdent
les Sources de la Vie.*

La Bible, Proverbes VI, 23

Amour, amitié... trop se donner revient à
perdre sa propre plénitude. Mais rien n'empêche
de dispenser, à doses homéopathiques, dévoue-
ment, gratuité et compassion. Cependant n'attendez rien en retour. Pas même un merci.
Considérez comme donné ce que vous avez prêté.
Si cela vous est difficile, refrénez votre générosité : nous cherchons souvent à faire plaisir aux
autres pour nous faire plaisir nous-même.

NE TENTEZ PAS D'AIDER CEUX POUR LESQUELS VOUS NE POUVEZ RIEN

*La tradition est de plaindre celui qui souffre et de
pleurer avec lui. Eh non, vous devez l'aider à*

redresser la situation en opposant une résistance à son découragement. Et s'il est vexé, tant pis, restez ferme en affirmant votre puissance de lumière. Si vous n'arrivez pas à l'aider, c'est que vous ne pouvez rien pour lui. Cela arrive. Il y a des êtres qu'on ne peut pas aider, parce qu'ils entretiennent en eux un état qui empêche qu'on les aide... Vous pouvez employer cette force que vous avez acquise pour aider d'autres personnes.

Omraam Mikhaël Aïvanhov, *Le Rire du sage*

LE CHAGRIN ? PEU DE LOGIQUE, PAS DE TRAGIQUE

*Ne pleurez jamais d'avoir perdu le soleil ;
les larmes
vous empêcheraient de voir les étoiles.*

Rabindranath Tagore

La meilleure façon d'y faire face est de le laisser passer aussi vite que possible. Ce n'est qu'en agissant ainsi que vous pourrez vous libérer du temps pour les choses qui importent désormais. Vous vivrez également plus utilement et dans un meilleur état émotionnel.

FAIRE PASSER LE SOIN DE SOI EN PREMIER

La gentillesse, c'est l'amour donné
par petites bouffées.

Anonyme

Parce que les Japonaises se marient plus par convention que par amour, elles veillent en premier à leurs intérêts : santé, beauté... Elles n'attendent pas leur mari pour manger le soir, dorment tôt pour garder le teint frais, prennent tout leur temps pour le bain... Les autres vous aimeront si vous vous aimez vous-même.

TRÈS PEU DE RANCŒUR

Le sage ne se plaint pas des défauts et des
faiblesses qu'il observe chez les autres. Il ne les
critique pas, il ne les combat pas ; il s'efforce, en
les supportant, de transformer ces défauts
en lui-même, car cette transformation produit une
énergie qu'il peut renvoyer ensuite sous forme de
lumière.

Omraam Mikhaël Aïvanhov, *Le Rire du sage*

Pardonner ne veut pas dire accepter ce qui est arrivé. Cela veut dire qu'on se refuse à l'adversité qui empoisonne la vie. Il faut pardonner pour son propre bien. Si l'on se contentait de ne se placer que comme témoin des faits, on ne souffrirait pas.

JE L'AIME ? JE VEUX L'OUBLIER ? PEU D'HÉSITATIONS

Quand on aime quelqu'un on a toujours quelque chose à lui dire ou à lui écrire, jusqu'à la fin des temps.

Christian Bobin, *Geai*

La meilleure façon de savoir si vous appréciez ou aimez quelqu'un est l'envie que vous avez de passer du temps avec cette personne, tout simplement. Mais si vous voulez l'oublier, imaginez son visage se rétrécissant à la taille d'un timbre-poste couleur sépia. Puis soufflez sur ce timbre pour qu'il s'envole loin, très loin.

12 – ÉLOGE DE LA FRUGALITÉ INTELLECTUELLE

Libère ton esprit de toutes pensées inutiles, et chaque saison sera pour toi un enchantement.

Mumon,
célèbre bonze japonais du XXe siècle

Penser et être conscient ne sont pas synonymes. La pensée n'est qu'une infime partie de la conscience ; la conscience, elle, n'a pas besoin de pensées. Dans le zen, penser est comme une maladie : un symptôme apparaissant lorsque l'équilibre fait défaut en soi, tout comme des cellules proliférant en excès dans le corps. Nous avons tous rencontré, dans la rue, des fous parlant seuls. Sommes-nous si différents, nous qui, intérieurement, ne cessons de commenter, spéculer, juger, comparer, geindre, adorer, détester ? Nous sommes esclaves des pensées qui envahissent notre mental et le renferment sans cesse sur les mêmes questions. Pour le libérer

147

de son anxiété intellectuelle, de sa suractivité, de sa confusion, de ses supputations, la première étape est d'en devenir « l'observateur ». Un niveau de conscience plus élevé se fera alors entrevoir. Un domaine de l'intelligence au-delà de la pensée et dans lequel rien n'est fixe, surtout pas une idée. La technique du zen consiste à nous pousser hors des ornières de l'intellectualité. Les maîtres posent des questions auxquelles il est impossible d'offrir une réponse pour tourner en dérision logique et métaphysique, bouleverser les notions philosophiques. Plutôt que d'essayer de comprendre ce qui nous dépasse et s'épuiser à vouloir l'explorer, le sublimer, l'important n'est-il pas de trouver en soi la paix et l'énergie qui ont toujours été présentes mais que nous occultons ?

PEU DE PRINCIPES, DE PRÉJUGÉS ET DE CONVENTIONS

Il est plus facile de briser un atome que de briser un préjugé.

Albert Einstein

Jean-Jacques Rousseau, dans *Émile*, écrivait qu'il préférait être un homme à paradoxes plutôt qu'à préjugés. Le zen, lui, recommande, afin d'arriver à l'état de non-préoccupation qui lui est essentiel, de s'abstenir de tous ces « Ceci est bon, bien, normal, agréable…, cela est mauvais, dégoûtant, immoral… ». Ils nous limitent. Contentons-nous de les observer.

REGARDER DEVANT SOI DE MANIÈRE CLAIRE

*Formule de mon bonheur : un « oui », un « non »,
une ligne droite, un but…*
Friedrich Nietzsche, *Le Crépuscule des idoles*

Toutes sortes d'idées foisonnent sans cesse dans notre mental mais elles n'ont souvent aucun rapport avec ce qui est probable ou possible. Regardons bien ce qui est en face de nous et nous reconnaîtrons la direction à prendre.

LES PROBLÈMES :
TROP EN PARLER NE FAIT QUE LES GROSSIR

L'inquiétude amène la vieillesse avant le temps.
Ben Siral

Que seront devenus vos problèmes dans dix ans ? Prenez cinq ans d'avance sur eux. Vous gagnerez un bien précieux : la perspective. Vous pourrez alors accepter avec sérénité le fait que les soucis font partie de la vie, qu'il y en aura toujours et qu'il faudra les gérer encore et encore comme vous l'avez toujours fait. Le seul fait de réaliser cela apaise.

LES SUPPOSITIONS :
ÉVITER CES SI PETITS « ET SI... »

Souvent, au lieu de penser, on se fait des idées.
Louis Scutenaire

Nous voulons des réponses à tout. Alors nous supputons. Mais cela nous empoisonne émotionnellement bien plus que les faits eux-mêmes. Nous perdons alors une énergie précieuse. Tristesse, drames... tout vient de cette habitude de prêter à autrui des intentions inconnues ou de prendre les choses personnellement. Concentrez-vous sur l'instant présent : c'est cela qui vous ramènera à la réalité, loin de tout ce qui a été ou ne sera peut-être jamais.

PEU D'APPARTENANCES AU COLLECTIF

Définissez-moi d'abord ce que vous entendez par Dieu et je vous dirai si j'y crois.
Albert Einstein

Les vrais marginaux n'ont pas besoin d'appartenances collectives, de structures organisées ou de signes extérieurs pour affirmer leurs convictions. Seul le changement intérieur permet de se réaliser, de se transcender. Pour garder infiniment peu en soi, il faut savoir s'adapter, ne pas s'attacher rigidement à un seul système de

croyances. La seule personne à qui nous devons
la vérité est nous-même.

RÉDUIRE LE NOMBRE DE SES CERTITUDES

*On mesure l'intelligence d'un individu
à la quantité d'incertitudes qu'il est capable
de supporter.*

Emmanuel Kant

Ce que les hommes veulent, en réalité, ce n'est
pas la connaissance mais des certitudes, disait le
philosophe anglais Bertrand Russel. Mais les certitudes se volatilisent, se déplacent au gré des
situations, de l'âge. Cultiver l'incertitude, la fra-
gilité, la relativité, la remise en cause de l'analyse
et de l'échec est la meilleure façon de ne pas être
déçu.

POURQUOI ACCEPTER LES VALEURS COMMUNES ET LES CONVENTIONS ?

*Il devient nécessaire d'apprendre à débarrasser son
esprit des nuages qui l'obscurcissent, de le libérer
de tout ce qui l'encombre en le soulageant du
fardeau des préoccupations matérielles.*

Indra Devi

Les personnes en bonne santé sont indépendantes, détachées. Elles vivent selon leurs propres

valeurs et, ne se mêlant que modérément à la société, n'en acceptent les règles et les conventions qu'en apparence. Intérieurement elles vivent avec décontraction, tolérance et humour. Si elles sentent que quelque chose ou quelqu'un leur nuit, elles le rejettent, tout simplement. Et c'est pour toutes ces raisons, inversement, qu'elles sont autonomes.

SE PROJETER DANS LE PASSÉ OU LE FUTUR ET ACCEPTER LE PRÉSENT, TOUT SIMPLEMENT

Les Blancs veulent toujours quelque chose. Ils semblent toujours mal à l'aise et agités sans savoir ce qu'ils veulent. Quelles sont vos pensées en ce moment même ? Êtes-vous tendu ? Si oui, c'est que vous êtes en train d'essayer d'éviter quelque chose, de résister ou de nier le présent.

Un chef indien d'Amérique

Si vous n'êtes pas capable d'être présent dans le moment, vous ne le serez certainement pas plus lors de confrontations à des situations difficiles : dans les cas d'urgence, comme des situations de « vie ou de mort », on ne se pose pas de problème. L'esprit s'arrête de batifoler et de faire de la situation un problème. Il s'immerge complètement et sait ce qu'il doit faire.

L'homme est né libre, et partout
il est dans les fers.

Jean-Jacques Rousseau, *Du contrat social*

Ne vous encombrez plus d'opinions : gardez le silence et vos pensées compactes, synthétiques, claires et pures. Les mots sont impuissants à exprimer l'essentiel. Notre seule responsabilité sur terre est de prendre soin des choses qui nous ont été données et de limiter nos acquisitions (morales, mentales, intellectuelles...) à ce dont nous avons besoin uniquement. Nombre de désordres mentaux viennent de priorités confuses et de trop de tentatives à vouloir changer les choses.

ÉLIMINER LES DISTRACTIONS EXCESSIVES

Tu me demandes pourquoi
j'ai élu domicile dans les bois sur la montagne,
et je souris et je me tais et même mon âme fait
silence. Elle vit dans cet autre monde
qui n'appartient à personne.
Le pêcher est en fleurs, la rivière coule.

Li Po

Moins se socialiser, moins regarder la télévision, moins lire... c'est en réduisant ainsi le nombre d'heures à « accumuler » que nous réduirons également toutes sortes de nouveaux prétextes à juger, critiquer, s'inquiéter. Notre but est d'éliminer, non d'accumuler.

SE COUCHER TÔT
ET MÉDITER DIX MINUTES LE MATIN

La moindre chose contient un peu d'inconnu.
Trouvons-le.

Guy de Maupassant

Pour alléger son mental, le moyen le plus simple et le plus radical est peut-être de… se coucher et se lever tôt, tout simplement. Les idées du soir sont souvent noires, celles du matin rayonnantes. Sans mentionner le fait que les activités nocturnes sont souvent moins saines que celles du matin (regarder la télévision, boire, grignoter). Réservez-vous quelques minutes le matin pour préparer mentalement votre journée afin d'en tirer le meilleur. Ce seront peut-être vos minutes les plus gratifiantes.

IMPOSSIBLE DE VOUS CONCENTRER EN VILLE ? POURQUOI PAS CINQ MINUTES DANS UNE ÉGLISE ?

À l'instant où l'esclave décide qu'il ne sera plus esclave, ses chaînes tombent.

Gandhi

Prendre conscience de son encombrement mental est le premier pas vers la clarté. Ce n'est que lorsqu'on met un nom sur les maux qu'on peut commencer à les traiter. Mais il faut du temps à soi pour cela. Quand, où allez-vous prendre ce temps ? Une petite église est peut-être l'endroit où vous pourrez le mieux vous recueillir. Parcs et cafés sont bruyants et visuellement distrayants.

LA RÉDUCTION À L'ESSENTIEL GRÂCE AUX LISTES

Importance de posséder des maximes brèves pour aider à la vie.

Marc Aurèle

Notes de lectures (citations, passages appréciés) pour ensuite se séparer des livres, bribes de conversation, poèmes, rêves... tout peut être condensé en listes, cet outil précieux pour notre mémoire et nos souvenirs qui permet de ne garder que ce qui nous « parle ».

SAVOIR CE QUE VOUS ALLEZ FAIRE
DANS LES MINUTES QUI SUIVENT

Tout dans la vie des bonzes zen est programmé avec un équilibre précis : le temps à passer à « l'extérieur » de soi (sorties, rencontres...) et celui pour « l'intérieur » (méditation, ménage, repas dans le silence...). Mais au-delà de ces apparences contraignantes, se cache une immense liberté : ne pas avoir à réfléchir ce qu'il y a à faire et quand le faire. L'esprit est alors libre de se consacrer au mental ou... de s'en évader.

PRENDRE MOINS AU SÉRIEUX
SA PROPRE FAÇON DE PENSER

Qui dit cérébral
ne dit pas nécessairement intelligent.
Repassez ça de temps en temps.
Léon-Paul Fargue, *Sous la lampe*

Accepter les contradictions de la vie, ne pas se sentir obligé de les résoudre, c'est ce que Kant appelle la « capacité négative » : une capacité à accepter les doutes, les mystères sans s'irriter et même savoir en éprouver à la fois du plaisir et de la peine. Car c'est tout cela, la richesse de la vie. Lorsque vous voyez un mégot de cigarette à terre, au lieu de pester contre celui qui l'a jeté, ramassez-le. Vous n'imagineriez jamais la paix intérieure que vous allez en retirer.

REPOSER SON ESPRIT
PAR UN BRIN DE MÉDITATION

L'art de reposer son esprit et de l'affranchir de tout souci ou préoccupation est probablement l'un des secrets d'énergie de nos grands hommes.

Capitaine J.A. Hadfield

Vous pouvez être extrêmement alerte sans penser. Et vous pouvez vous y exercer à n'importe quel moment de la journée, n'importe où. Même en faisant la queue au supermarché. Exercez-vous à « écouter » vos pensées, rester alerte tout en ne pensant pas. Le critère pour mesurer votre succès ? L'état de paix dans lequel vous vous trouverez.

ACCEPTER DE NE JAMAIS COMPRENDRE
CERTAINES CHOSES : UNE FORME D'HUMILITÉ
INTELLECTUELLE

Boire un bon thé chinois... voilà une chose à faire pour elle-même sans chercher d'autre but que de parvenir à goûter la lumière du soleil, le vent et les nuages.

Propos taoïstes

Abandonnez autant d'idées que vous le pouvez, afin que vos pas soient plus légers, votre mental moins rigide, vos idées moins fermes (ce sont elles qui nous blessent). Contentez-vous de ce qui est à votre portée. La vie humaine est limitée, le savoir illimité. Qui suborne sa vie limitée à la poursuite du savoir illimité va à l'épuisement, rappelle Tchouang Tseu.

PLUTÔT QUE DE CRAINDRE LA MORT, VIVEZ LA VIE

Vous vous posez des questions sur une vie après la vôtre parce que cette vie-ci ne vous satisfait pas. Elle n'est pas assez pour vous. Et elle n'est pas assez parce que vous ne la vivez pas. Vous vous contentez de réfléchir à son sujet.

Robert Pilpel, *Between Eternities*

Pourquoi avons-nous peur de la mort ? Ce n'est certainement pas parce que cela fait souffrir ; vivre fait bien plus souffrir. Nous avons peur de mourir parce que nous ne sommes pas prêts. Mais chaque conquête sur la peur d'une peur fait renaître. Vous n'avez plus vingt ans ? Acceptez de vieillir, de perdre les êtres chers et de mourir un jour. Commencez à aimer la personne que vous serez à quatre-vingt-quinze ans. À quoi bon fuir l'inévitable ? Profiter de la vie, par contre, est de notre ressort.

13 – CHASSER SON EGO ET DEVENIR TRANSPARENT

Les « je », « moi », « mien » comprenant toutes ces choses qui sont toujours en train d'enrichir ce « moi » par la fortune, l'argent, la puissance, le nom et la renommée et qui sont de nature à « prendre », à « accumuler », à tout ramener à soi, font partie du caractère humain. Mais c'est aussi la cause de la misère. Avec le sens de la possession vient celui de l'égoïsme et l'égoïsme rend malheureux. Les « je », « moi », « mien » nous enchaînent et nous rendent esclaves.

Swami Vivekananda, *Le Karma Yoga*

Chacun a en lui des croyances bien ancrées dans trois domaines de sa vie : ce qu'il fait (et ne désirerait pas faire), ce qu'il sait (et qu'il sait ne pas connaître) et ce qu'il est (et n'est pas). Ce sont là les activités dans lesquelles il investit sa force vitale et qu'il sent, malgré tout, sans cesse lui couler entre les doigts : être, savoir et faire ne cessent d'aller et de venir. Il est cependant possible d'affiner sa conscience et découvrir les véritables rouages de ces forces ainsi que la façon dont elles façonnent notre quotidien : abandonner l'illusion de s'identifier aux pensées, aux choses et aux activités que l'on nomme « Je ». Comme il serait bon de s'en tirer à vivre ainsi, en quelque sorte transparent, sans responsabilités ni attachements ! S'abandonner consciemment, se détourner de soi-même, parvenir à un état de liberté, de légèreté, d'ouverture, et de fluidité infinies !

« JE » ET « SOI »

Nous avons besoin d'être alertes,
ouverts et vides.
Aldous Huxley

Notre plus grand protagoniste est le « Je » : c'est lui qui nous impose une morale, des stéréotypes, des jugements, qui se dit déprimé, triste, en colère. Mais nous ne sommes pas lui. Nous pourrions, si nous le voulions, nous en libérer intérieurement : il nous pèse et ne représente pas ce qu'il y a d'original, d'humble et de serein en nous. Le « Soi », au contraire permet la vie intérieure, rend capable de s'inscrire dans quelque chose de plus large que ce petit « Je ».

POURQUOI CE CONSTANT BESOIN DE RECONNAISSANCE DE SOI ?

*Vous voulez qu'on croie du bien de vous ?
N'en dites pas.*

Blaise Pascal

Dans la vie, tout le monde sans distinction, jeunes comme vieux, s'adresse aux autres ou se lance dans toutes sortes de batailles (idéologiques, politiques...) pour résoudre les problèmes du monde. Mais ne vaudrait-il pas mieux commencer par renoncer à tout ce bric à brac inutile que représente l'accumulation d'affirmations de soi et de propos divers reposant bien souvent sur le besoin d'expression et de reconnaissance ?

ÉGOÏSME ET CALCUL : D'EUX VIENNENT LES CONTRAINTES

Le point de vue de l'homme qui calcule et ramène tout à son intérêt devient pour lui, un beau jour, impossible à assumer. En cela, il n'est plus « libre ». Il se sent, au contraire – et au cas où il viendrait à y réfléchir – contraint. C'est en abandonnant son ego qu'il obtiendra la patience et la maturité d'être capable de donner aux autres sans devenir émotionnellement éparpillé ou balayé par les instabilités, les pressions et les manipulations du monde extérieur.

> *L'impressionnante banalité
> qui émanait de son corps tout entier gommait son
> âge, ses goûts et sa personnalité,
> tous ces éléments qui permettent de juger une
> personne lors d'une première rencontre.*
>
> Yoko Ogawa, *La Petite Pièce hexagonale*

Ce sont souvent les personnes les plus humbles et les plus effacées les plus fortes. Par leur attitude elles parviennent à nous faire comprendre qu'en ne tentant pas de dominer ou de combattre les idées des autres et en restant aussi neutre que possible, c'est non seulement ne pas céder à son ego mais c'est adopter l'attitude la plus confortable et la plus intelligente qui soit.

LE « MOI » N'EXISTE PAS : INUTILE DE LE CHERCHER

Nous avons été éduqués à croire que nous avions notre propre identité. Mais nous ne sommes qu'une combinaison momentanée et impersonnelle d'états mentaux : nous détestions les épinards lorsque nous étions enfants, aujourd'hui nous en raffolons. Qui peut dire ce que nous serons demain, dans dix ans, vingt ans ? Pratiquez la méditation : vous découvrirez très vite que ce « Moi » que vous croyiez être n'existe pas.

POUR DEVENIR LIBRE, IL FAUT « LIQUÉFIER » L'EGO

J'ai jeté cette toute petite chose que l'on appelle « Moi » et je suis devenu le monde immense.

Soseki Muso (Extrait des *Contes Zen*, Henri Brunel)

Le bouddhisme à l'occidentale, c'est l'idée de vivre bien avec son ego. Dans le bouddhisme oriental, la démarche est inverse : il faut se détacher de son « ego-self », fonctionner à travers lui mais pas avec lui. Celui qui est parvenu à un tel état, dit un proverbe tibétain, tient un trésor au creux de sa main : il peut enfin commencer à respirer dans un monde éthéré.

CES PERSONNES QUI N'ONT PLUS D'EGO

De certaines personnes émanent mystère et force. La simplicité et le contentement semblent couler de leur cœur. Quel est leur secret ? Elles ont atteint une sorte de personnalité à force... d'impersonnalité. Mais cet état est le résultat de nombreuses années de travail sur la maîtrise des émotions et l'effort à contrôler le côté destructeur de l'ego. La force de ces personnes, c'est de ne plus connaître ni la peur, ni la perte, ni même la mort : elles se sont annihilées tant de fois !

LA BEAUTÉ LIBÈRE DE LA CONSCIENCE DE SOI

La beauté, que ce soit une « cascade de brouillard », une sonate de Bach ou une chorégraphie de Pina Bausch, a un effet formidablement bienfaiteur sur l'esprit humain. Certaines structures qui l'encombraient fondent alors. Apparaît une sorte d'extase qui n'est rien plus que l'oubli de soi. Ce « Je » n'existe plus. Il a perdu toute notion du temps, de l'espace ou du lieu. Il s'est effacé en se focalisant sur quelque chose extérieur à lui. La beauté l'a débarrassé de lui-même.

SE CONTENTER D'ÊTRE SOI-MÊME

Apprendre à connaître ses limites, voilà en quoi consiste la connaissance.

Sakaguchi Ango, *Le Christ et le mauvais garçon*

Afin de réaliser ce qui est vivant en soi, il suffit de se remémorer les meilleurs moments de sa vie : les instants où nous avons eu nos idées les plus brillantes, où nous avons ressenti un moment de calme profond ou où nous avons été complètement emporté par quelque chose de beau. Nos limites, dans ces moments-là, n'existaient plus. Nous étions, sans le savoir, plus vrai et vivant que jamais. Pour vous, quels sont ces moments ?

14 – BUTINER, COMME L'ABEILLE, LE BONHEUR

Le plaisir ressemble à des coquelicots.
À peine saisis, à peine détruits.
À des flocons de neige tombant sur une rivière
Éclairs blancs à jamais évanouis.

Gendun Choephel

Évoquer des thèmes aussi universels et incommensurables que l'amour ou le bonheur aboutit souvent à de creuses banalités. Ce n'est qu'en morcelant ces états privilégiés qu'on peut en saisir les étincelles. Le bonheur ne se loge pas toujours là où on le pense. Il peut se cacher le long d'un ruisseau, dans le parfum d'une violette, dans l'instant magique de retrouvailles. Il est d'autant plus immense qu'il est fait de « très peu ». Alors, ce bonheur, pour l'approcher, il faut en prendre conscience, le vouloir, le choisir. Et puis, comme me le répète souvent une amie, être heureux est souvent affaire d'intelligence.

SAISIR LE BONHEUR AU VOL

L'autre jour, une heure passée à rêver, seul,
enfoncé dans un de ces silences profonds, j'ai senti
vivement le bonheur de ces minutes que j'aurais
voulu partager. Une voix me disait : si c'est cela
le bonheur, c'est le bonheur qui passe au vol.
Saisis-le.

Julien Green

Le bonheur parfait, ne serait-ce pas, aussi, et
peut-être plus que tout, l'absence de besoins et
de désirs personnels ? À elle seule, la beauté est
faite d'instants : un geste élégant, une ondée, une
fourmi s'affairant, le parfum d'une rose pivoine,
la lumière du petit matin à travers les rideaux...
Chaque instant peut être d'une intensité absolue.
La vie n'est finalement que la succession en poin-
tillés de ces instants, espacés par tout le reste :
ce que l'on ne peut qu'accepter.

LE PETIT RÉCEPTACLE DU BONHEUR

Une vie toute simple, sans falbalas, sans
grandiloquence, sans idées superflues. Cette
simplicité de la vie s'apparente pour moi au
bonheur. On était heureux avec trois fois rien.
Autour de moi, j'entends des gens qui veulent
toujours plus.

Jacqueline Bir, *Le Bonheur des Belges*

Chacun est né, disent les Japonais, sur un petit réceptacle contenant tout ce qui lui est nécessaire. Mais combien s'en contentent ? Amour, gloire et de beauté sont des trésors fuyants. Les chasser épuise et dépossède de soi-même. Rien, en réalité, ne nous appartient. L'admettre délivre d'un énorme fardeau. Nous découvrons alors quelque chose d'extraordinaire : le plaisir de notre propre existence : jouir de rien, sinon de nous-même.

PLAISIR ET JOIE

Lorsque je perds le moral, je pense à tous les moments merveilleux de ma vie ; alors j'attends un tout petit moment et je sais que je peux continuer.

Réplique de Meryl Streep dans *Out of Africa*

Le plaisir vient de l'extérieur, des autres, la joie de l'intérieur, de soi. Lors de plaisirs intenses, nous nous disons : « Je suis heureux ! » Mais en disant cela, n'éprouvons-nous pas un petit pincement au cœur à l'idée que ce plaisir ne durera pas ? La joie, au contraire, se rapproche du sentiment de paix. Même dans les moments de tristesse il est possible de se réfugier dans ce sentiment, de retrouver cette paix enfouie en chacun de nous et qui ne nous quitte, sans que nous le sachions, jamais.

CULTIVER LA JOIE DE MENER
UNE VIE ORDINAIRE

*Qu'est-ce qui vous apporte le plus de joie dans la
vie ? – Réussir à accomplir ce que je ne pouvais
pas faire la veille.*

Propos zen

Vivre en harmonie avec les moindres détails
de sa vie, construire ces détails en harmonie
avec soi, c'est cela, dit le zen, la définition du
« zen » : mener une vie aussi ordinaire que possible.

LA VIE EST UN VOYAGE

*Les cristaux apparaissent dans le granit avec un
relief frappant. Les formes variées des nuages ne
cessent de nous attirer. Une fois, j'ai remarqué de
petits insectes sur le mur de pierre, si petits qu'ils
étaient à peine visibles. Je les ai observés pendant
quinze minutes, suivant leur mouvement et
admirant leur rouge brillant. Comment pourrait-on
s'ennuyer avec tant de belles choses à voir et à
sentir ! Cette union avec cet environnement
formidable et cette perception pénétrante nous
procurent une sensation qui peut durer des années.*

Yvon Chouinard (alpiniste)

Le vrai voyageur, celui qui traverse la vie,
trouve sa place partout et nulle part. Il vit d'ins-

tants volés, de reflets, de menus présents, d'aubaines et de miettes. Il passe sans chercher à retenir, sans convoiter ce qu'il voit.

Deux sortes de bonheur

Un degré vers le bonheur, c'est de trouver dans son existence le juste dosage entre agir et laisser agir les choses, entre effort et décontraction.
C'est de la sagesse humaine, mais elle n'est pas à dédaigner.

Le cardinal Godfried Danneels

Pour combattre la morosité, voici la recette de Lord Byron : le coin du feu, une salade de homard, du champagne et une belle compagnie. Mais le bonheur, ce peut être aussi de recevoir, par surprise, la visite d'un vieil ami, admirer la lune. Il existe deux sortes de bonheur : l'un, global, qui consiste à pouvoir être libre de choisir, d'agir et de penser, et l'autre, composé de petites choses très basiques qui se cherchent, s'espèrent et parfois se réalisent.

Éloge de la futilité

Le qualificatif « futile » est considéré bien souvent comme synonyme de « nul et sans avenir ». Mais pour la philosophie chinoise, merveilleuse est la futilité : que serait sans elle l'existence, à quoi ressembleraient les vagues qui viennent inlassablement s'échouer sur la grève, sans raison aucune ? Écoutez un chant grégorien ou Sibelius. Vous comprenez alors que c'est dans ces instants-là que vous êtes le plus vrai : vous savez alors que c'est cet « inutile » qui donne son sens à la vie.

LAISSER VITE FILER LE CHAGRIN

Cultiver son chagrin n'est pas sans effets malsains.
Certains, rendus méfiants devant la vie,
sont incapables de nouer de nouvelles relations.
D'autres cherchent dans la drogue ou dans l'alcool.
D'autres encore tentent d'entretenir la situation
à l'origine de leur malheur, dans l'espoir de l'exorciser.
Or le chagrin peut mener à la dépression
ou au suicide. S'y complaire ne va jamais
sans danger. Ne dressez pas un autel à la douleur :
lui vouer un culte finit par porter malheur.
Pensez à votre bien-être. Les gens qui se sont remis
d'une expérience cruelle sont aussi ceux qui,
après en avoir fait le tour, ne craignent pas
d'en parler et sont capables de verbaliser
leur ressenti de façon positive, voire créative,
de rompre avec la peine et de lui donner congé.
Ils vous le diront eux-mêmes : cultiver sa douleur,
c'est lui donner tout espoir de vous dominer.
Mieux vaut lui montrer la sortie. Pas de guérison
possible tant que l'on n'a pas compris cela.

Alex Quick, *Le bonheur ne coûte rien*

NOTRE CONTRIBUTION À L'HUMANITÉ

Il y a une grande satisfaction à ne pas vouloir, à ne pas être, à ne pas aller quelque part.

Krishnamurti

Notre bonheur ne serait rien sans celui des autres. Alors, comment les aider ? En leur suggérant d'essayer de savoir qui ils sont. Parce que, actuellement, la société essaie de faire de nous des copies conformes, des duplicatas de tout le monde (avoir les mêmes idées, porter les mêmes vêtements, fréquenter les mêmes lieux...). Elle nous prive de nous-même.

NOUS OUBLIONS TROP NOTRE LIBERTÉ

Quand nous comprenons comment effectuer les choix, comment accepter ou refuser, nos inquiétudes et nos irritations disparaîtront.

Confucius

Nous pouvons faire tant de choses librement ! Marcher, prendre un thé, discuter avec qui nous plaît... Mais limiter le nombre de ses projets et les réaliser dans la joie et la sérénité, en un mot, vivre dans le « peu » est aussi un choix. Nous l'oublions souvent mais tout choix est un luxe. Et ce luxe-là est rare : il est à la portée de tous.

15 – L'ART DE LÂCHER PRISE

La parfaite liberté ne connaît pas de pourquoi.

Marguerite Porete
(mystique du courant des béguines)

Accepte ce qui est en face de toi sans vouloir que la situation soit autrement. Étudie l'ordre naturel des choses et travaille en son sens plutôt qu'à contre-courant, conseille le Tao. Car essayer de changer les choses ne fait que leur opposer de la résistance. Lâcher prise sur le monde extérieur, se laisser guider par une sensation de fluidité et d'aisance, vivre sa vie attentivement, se défaire de l'envie perpétuelle de nouvelles expériences, se détacher de soi, voilà la définition d'un idéal difficile à atteindre, certes, mais tellement raffiné !

Les hommes zen, les espaces zen, les choses zen
ont une manière caractéristique d'être là, comme
s'ils n'étaient pas vraiment là. Et précisément pour
cette raison, ils sont là d'une façon unique, chargés
de silence, gorgés de vie, comme s'ils pouvaient à
tout instant voler en éclats et de manière tout aussi
soudaine s'évanouir sans bruit.

Karlfried Graf Dürckheim, *Le Son du silence*

Le non-attachement signifie non pas fuir la vie
mais avancer à son rythme, avec la liberté nais-
sant d'une totale acceptation de la réalité. Celui
qui désire garder ses illusions demeure immo-
bile ; celui qui les craint recule ; mais celui qui
les maîtrise continue d'avancer, dit le Tao.

NE PAS ESSAYER DE CONTRÔLER L'INCONTRÔLABLE

Multiples sources de stress de la vie quotidienne :
embouteillages, gosses mal élevés, queue à la caisse
du supermarché, etc. Les gens stressés veulent
contrôler les moindres détails de leur existence sans
y parvenir. S'accommoder du pur désordre de la
vie leur est impossible...

Jon Kabat-Zinn

Pourquoi regarder comme négatifs le désordre
et les aléas de notre existence ? Inspiré par Zorba

le Grec, Jon Kabat-Zinn essaie de nous montrer
que la vie, c'est justement ce grand désordre où
s'entrecroisent douleur et plaisir, bonheur et chagrin, crainte et confiance. Un monde incontrô-
lable dont les multiples fluctuations permettent
de mieux en apprécier la richesse.

WU WEI OU L'ABSENCE D'INTENTION

Dieu est partout ! Contentez-vous d'en profiter.
Alan Watts, *La Philosophie du Tao*

Le galet que nous ramassons sur la plage est
beau, mais ne cherchons pas à en tirer un ser-
mon. Ne nous croyons pas obligé, pour le salut
de notre conscience, de prétendre que nous culti-
vons ainsi notre sens de l'esthétique. Nous
n'avons rien à FAIRE. Quelle merveilleuse expérience que « l'absence d'intention » ! Chaque
chose dans sa dimension fugitive semble alors
inviter à un lâcher-prise qui n'impose rien mais
offre une « folle sagesse » à celui qui a su s'en
faire le maître.

Conclusion

*Pour marcher vraiment
sur le chemin de la lumière,
nous devons connaître beaucoup de vérités
que la majorité des humains négligent.
Ils pensent que nous nous occupons là
de toutes petites choses sans importance.
Eh oui, de toutes petites choses,
mais l'univers entier est fait
de toutes petites choses :
des atomes, des électrons qu'on
ne voit même pas. Ce sont ces petites choses
qui sont les éléments indispensables pour créer
et entretenir la vie.*

Omraam Mikhaël Aïvanhov, *Le Rire du sage*

Les bonzes zen, lorsqu'ils vaquent à leurs besognes, paraissent intensément actifs mais leur visage exprime la joie. Tout ce qu'ils font ressemble à une cérémonie bien que leurs effets personnels soient si rares qu'ils suffisent tout juste à leur faire un oreiller pour dormir, et leur utilisation du temps et des matériaux réduits au maximum. Cette grande sobriété ne relève pas, contrairement aux apparences, d'un idéal ascétique. C'est simplement une attitude adoptée à l'égard de la vie : se dépouiller jusqu'à découvrir l'essence de son être. Un mode de vie personnel fondé sur l'infiniment peu pour se muer vers celui, immensément grand, de l'Universel.

Un esprit ayant la ferme volonté de ne plus être gêné par aucun bagage, qu'il soit matériel ou intellectuel (circonstances extérieures, illusions intérieures), réalise que tout est transitoire et qu'il n'y a rien, y compris de « Je », à saisir. Il a enfin acquis la perte de la sécurité grâce à un lâcher-prise lui-même abandonné. Il peut alors mourir et renaître à chaque instant et donc ne plus se soucier de ce qui lui arrivera après la mort.

On dit que l'âme pèse environ un gramme. N'en acceptons donc pas un de trop dans notre vie. Ne cherchons pas à remplir ce qui doit rester accueillant au vide. Restons simplement attentifs aux petits riens du quotidien. Ils nous disent au plus juste de quoi est fait chaque instant : de menues choses qui sont pourtant la trame indiscutable de notre vie.

Accéder à l'infiniment peu demande de la réflexion, du temps et une rupture d'avec le monde moderne. Mais ce type d'attitude peut prendre un jour le pouvoir sur celui de la politique et de l'économie parce que ces derniers n'ont aucune prise sur lui. Espérons que ce sont ces valeurs-là, ces richesses, qui fonderont le monde de demain.

Pour être gai, il faut être libre, et pour être libre, il faut cesser d'accumuler les fardeaux sur ses épaules. Comme un ballon qui s'élève dans l'atmosphère, disait le sage d'Omraam Mikhaël Aïvanhov, devenons légers, c'est-à-dire gais.

Le très petit est un accès au très grand.

Miyajima Tatsuo